RAFAEL AYALA

CAMBIA TUS HÁBITOS

CAMBIA TU VIDA

Descubre cómo cambiar tus hábitos,
detonar tu potencial y llevar una vida
plena y productiva

TALLER DEL ÉXITO

Editorial Taller del Éxito
1669 N.W. 144 Terrace, Suite 210
Sunrise, Florida 33323, U.S.A.
www.tallerdelexito.com

Editorial dedicada a la difusión de libros y audiolibros de desarrollo y crecimiento personal, liderazgo y motivación.

Diseño de caratula: Diego Cruz

ISBN 13: 978-1-93105-922-0
ISBN 10: 1-931059-22-5

Printed in the United States of America

10 11 12 13 14   R|UH   07 06 05 04 03

ÍNDICE

PRÓLOGO

¿Le gustaría cambiar su vida? Para bien, claro. Creo que a todos nos gustaría. A algunos, incluso les urge. Pero para la mayoría ese reto se antoja lejano, inalcanzable. Y es que tenemos un concepto erróneo de la naturaleza del mecanismo del cambio. Muchos alimentamos el mal hábito de considerar inaccesible algo sobre lo que ni siquiera hemos meditado suficientemente. El poder cambiar nuestra vida es un buen ejemplo. De forma subconsciente, ¿qué cree necesitar para cambiar su vida? ¿La ayuda de un talismán poderoso? ¿Una estancia con los lamas del Tíbet? ¿Una cuenta bancaria con muchos ceros? ¿Transformar por completo su ADN? ¿Un milagro divino, quizás?

En mi opinión creo que no necesita nada de eso. Cambiar su vida está más a la mano, es mucho más accesible de lo que usualmente creemos. La clave es totalmente terrenal, y reside dentro de nosotros mismos. Se llama transformación de hábitos, y cualquiera de nosotros con suficiente decisión puede comenzar a aplicarla desde hoy mismo.

Y eso, ¿es algo fácil, o difícil? ¿Cómo se empieza? ¿Me llevará mucho tiempo? ¿Sus resultados serán duraderos? De veras, ¿cambiará mi vida? Las respuestas a esas interrogantes están dentro de usted, y este libro es la guía idónea para llegar hasta ellas. A través de su lectura atenta descubrirá que la clave consiste en erradicar o sublimar los hábitos indeseables, cultivar y fortalecer los buenos hábitos, y fomentar la adquisición de hábitos que nos conduzcan a una vida mejor y más plena.

Somos seres de hábitos. Desde antes de tener uso de razón comenzamos a formarlos con las ideas, conductas y tendencias repetitivas de cada día. Y con el paso del tiempo, van transformándose: algunos van desapareciendo, otros se van reforzando y algunos más se ocultan en nuestro inconsciente para resurgir cuando menos lo esperamos.

En la vida diaria, los hábitos −así, en neutro- han tomado una connotación negativa. Coloquialmente, hablar de un hábito es casi ocuparnos de algo censurable o vergonzoso. Inclusive, en modo eufemístico se habla del tabaquismo como un "hábito" (¡cuando claramente es una dependencia!). Sin embargo, no todos los hábitos son malos o censurables. Si bien hay hábitos que pueden matarnos (como el pasarse los altos del semáforo), hay otros que pueden salvarnos (como el ingerir frutas y verduras a diario). Y entre estos dos extremos pululan incontables usos, costumbres, prácticas, manías, conductas, rutinas y superticiones que pueden calificarse de buenas, regulares o malas. Todos las tenemos.

Esa es una propiedad inherente a la mente y la conducta humanas. Otra propiedad, menos conocida, es que los hábitos, por muy arraigados que estén, siempre son modificables. Si nosotros así lo decidimos, los hábitos se vuelven dinámicos y cambian, se transforman, se debilitan, se fortalecen, aparecen o desaparecen. Todos nacemos con esa prerrogativa. Pero debemos aprender a aplicarla. Y es en ese punto en donde sale en nuestro auxilio Rafael Ayala.

Con su estilo ameno, desenfadado y directo, nos muestra la ruta para lograrlo. Tiene el don para ejercer la empatía con sus lectores, y lo logra. Leer sus obras es casi como si nos las platicara. Y cuando desarrolla alguno de sus temas favoritos (y el que dio origen a este libro es uno de ellos), no lo percibimos como un orientador que simplemente nos dice como vivir o comportarnos. Lejos de ser rígida o impersonal, su guía se siente como la de un amigo de muchos años que nos comparte sus vivencias. Y esa es una clave fundamental para que sus enseñanzas sean exitosas.

En las páginas que siguen, el autor nos lleva de la mano aún por los senderos más espinosos (como nuestra propia irresponsabilidad), nos ayuda a sortear los peores vericuetos de la vida diaria (como la inercia ante el cambio) y nos conduce triunfantes hacia la consecución de nuestras metas personales. Así, sin bombos, platillos ni fanfarrias. Conforme avancemos en la lectura de este material, sin más un buen día (y ese sí que será un buen día) nos encontraremos aplicando sus técnicas en nuestra propia vida, y cosechando resultados apetecibles.

El qué tan apetecibles resulten dependerá de nuestras propias circunstancias y de qué tanto nos apliquemos en lograrlas. El cambio de uno solo de nuestros hábitos puede ser suficiente para transformar nuestra vida. Imagínese el grado de poder que tendrá en sus manos si dicho cambio se extiende a una docena o más de hábitos. A lo largo de su vida quien esto escribe ha podido presenciar más de una vez las maravillas que se logran de esta manera. ¡Qué afortunado es Rafael de poder coadyuvar para que estas transformaciones tengan lugar! Y qué afortunado es usted, lector, de tener en sus manos el mapa que lo conducirá hacia uno de los mayores tesoros terrenales: poder cambiar su vida para bien.

Enhorabuena por esta obra tan bien lograda, la cual espero sinceramente que cambie muchas vidas. En ella, una vez más el autor nos desnuda su alma, pero no para mostrarnos las nuevas ropas del emperador, sino para convidarnos de un poco de la sabiduría y la inspiración universal que emanan de Dios. Por lo mismo, leer las líneas que siguen es contraer una deuda con nosotros mismos: la deuda de ser cada vez mejores. Fallar, equivocarse o caer no necesariamente es una falta; el no levantarse después sí lo es. Y el cambio exitoso de hábitos suele ser una herramienta decisiva para lograrlo.

—Dr. Erwin Möller

AGRADECIMIENTOS Y DEDICATORIAS.

*A*gradezco a toda la gente que me ha considerado confiable para ayudarles en los momentos en que han atravesado crisis. Fungir como *coach* y como consejero ha sido un verdadero honor. A unos les agradezco que me hayan abierto sus corazones al exponerme sus casos personales y familiares; a otros, los empresarios y ejecutivos, que me hayan permitido conocer las entrañas de sus organizaciones para afrontar situaciones desafiantes. Todos ellos y ellas, sin proponérselo, se han convertido en maestros y maestras míos. Es increíble como al acudir a mí en busca de ayuda, recibí información de ellos y vivencias tan importantes que me han ayudado a entender más al ser humano. Mucho de lo que he aprendido y expongo en esta obra proviene de estos y estas guerreras de la vida diaria. Gracias a su confianza y valor para exponer sus áreas de insatisfacción y necesidades he podido aprender mucho sobre las mías.

Gracias a mis amigos, los hermanos Cruz: Camilo, Diego y Ricardo, al primero por su apoyo, ideas, respaldo y ejemplo en el mundo de la escritura; al segundo por su constante presencia y presión para que continúe plasmando mis ideas en libros y al tercero por interesarse en promover mi trabajo y obra, por creer en mis conceptos y confiar en mi.

Dedico este libro a Gaby, mi esposa. Fiel compañera que se ha mantenido firme ante los retos que hemos enfrentado. Gracias por aceptar con gusto el tipo de vida que hemos elegido. Vivir contigo ha sido una bendición desde el primer día. Gracias preciosa.

También dedico, agradezco y reconozco al Todopoderoso por su gran favor hacia mí. Sin su gracia ni yo, ni este libro existiríamos. No hay palabras suficientes que reflejen el tamaño de mi gratitud. Sea esta obra una pequeña muestra de ella.

INTRODUCCIÓN

"¿Dónde puedo encontrar a un hombre gobernado
por la razón y no por los hábitos y los deseos?"
—Khalil Gibran

*V*iajo constantemente debido a mi trabajo. Hacerlo me alimenta, me motiva y además, me permite ganar dinero. Lo mejor de todo es que me gusta hacerlo. Es cierto que a veces cansa y que también tiene, como todo, su lado malo. En mi caso es que la mayoría de mis travesías las realizo a solas y que en ocasiones me separo de mi familia más de lo que me gustaría. Me encantaría que Gaby, mi esposa, pudiera acompañarme con más frecuencia y por supuesto también quisiera que nuestros regalos divinos (Mariana y Gabriela) también fueran con nosotros.

La mayoría de mis marchas, por ser de trabajo, son cortas. Por lo mismo lo que mejor conozco de varios países y sus ciudades son los aeropuertos, algunos hoteles, auditorios y las oficinas de mis clientes. En repetidas ocasiones he invertido más horas en los trayectos que en el tiempo que paso en la ciudad que visito. Viajar es satisfactorio para mi porque me permite disfrutar de varios de mis principales gustos, algunos de los cuales tal vez debería llamarlos adicciones. Los enlisto: leer, escribir (gracias a Dios y a los genios de la tecnología por los computadores portátiles), tomar café, observar a personas totalmente diferentes a mí, conocer un poco de otras culturas y trabajar (me reconozco como un "workaholic[1]" pensando en la posibilidad de dejar de serlo).

Como acabo de comentar, me gusta observar a la gente. Mi trabajo durante años como consejero familiar y *coach* de ejecutivos me ha permitido analizar mucho del comportamiento humano, su dinámica, los conflictos más recurrentes y las increíbles formas que tenemos las personas para reaccionar ante ellos. Esta costumbre también me ha permitido auto analizarme e identificar algunas de mis actitudes.

Una de las características humanas que no deja de impresionarme es la tendencia que tenemos a convertir en hábitos mucho de lo que hacemos. Por ejemplo, cuando planeo y realizo mis travesías sigo, sin darme cuenta de ello, una rutina en bastantes de mis acciones. Baste como muestra el ejemplo de cuando llego a hacer mi registro para abordar un avión:

---

1. Palabra utilizada en inglés para referirse a los adictos al trabajo.

—"Señorita, ¿me puede dar el asiento en un pasillo? Si además es el de la salida de emergencia, será para mí como un regalo de cumpleaños".

—"¿Es hoy su cumpleaños señor Ayala?"

—"No, pero si me consiguiera ese lugar en el avión me sentiría como cuando me dan un regalo en mi cumpleaños".

Ante esta conversación semi espontánea (porque realmente es más una costumbre que un acto fortuito) la dependiente de la línea aérea suele sonreír y hacer su mejor esfuerzo por conseguirme ese espacio.

Otras personas, en el momento del despegue del avión se persignan; unas más no resisten la tentación de utilizar su teléfono portátil a ocultas hasta que la azafata le descubra y solicite que lo apague. También existen quienes ante el saludo de su vecino de asiento lo único que hacen es medio asentir con su cabeza y enmudecen durante todo el vuelo, comunicándose únicamente si sienten la necesidad de ir al baño y requieren que su compañero de asiento se mueva para poder salir de la fila.

Otra de mis pequeñas pasiones cotidianas es el café. Me gusta. Realmente no sé si se debe al sabor, el aroma o que me he creído todas las estrategias de mercadotecnia que se han creado para incrementar las ventas de este grano. Imagino que hay personas a las que les agrada esta oscura bebida simplemente porque en su casa aprendieron a tomarla desde que eran niños. Mi caso no es así. A pesar de que vi a mis padres tomarla desde que yo ingería leche en la presentación más natural que existe, no empecé a tomarlo sino hasta que tenía 30 años. Ni siquiera en mis tiempos de estudiante universitario consumí este vicio decente de la mayoría de mis compañeros de clase.

Como muchos de los que gustamos del café, constantemente asisto a cafeterías. Entre el aroma del tostado del grano, el ambiente musical y cálido del lugar y las luces tempraneras del sol, suelo escribir mis textos. Cuando estoy en casa soy yo quien suele llevar a mis hijas a su escuela. Esto sucede a las siete de la mañana. De allí continúo mi camino para recluirme en uno de los santuarios modernos del snobismo cafetero llamado Starbucks. Al estar allí puedo observar como los parroquianos y practicantes del "cafeteísmo" asisten para cumplir religiosamente sus ritos matutinos. Sus hábitos son tan claros que hasta los dependientes de la cafetería ya conocen qué pedirán y preparan sus bebidas sin siquiera preguntarles que desean. Otros "cafeteístas" aparecen semi dormidos, periódico en mano, para despertarse con la lectura de las terribles noticias publicadas y los primeros sorbos de café. Además suelen sentarse siempre en el mismo lugar. Bueno, siendo sincero, también yo trato de ocupar siempre la misma mesa. Volvemos un hábito hasta el lugar donde nos sentamos.

Somos seres de hábitos.

El científico y filósofo norteamericano Charles S. Pierce afirmaba que las personas somos un manojo de hábitos. Investigadores del comportamiento humano concluyen que las rutinas que adquirimos tienen gran peso en nuestra existencia. Algunos se atreven a afirmar que más del noventa por ciento de lo que hacemos es producto de un hábito. Siendo sincero cuando me enteré de este dato, no sólo me sorprendí, sino que en cierta medida me ofendí. Le explico por qué. Los hábitos son un proceso inconciente, mecánico. Esto significa que cuando los practicamos no pensamos, actuamos automáticamente. Si casi todo lo que realizamos en el día es producto de un hábito, entonces prácticamente mi existencia transcurre sin que utilice el razonamiento. Esa idea no me gusta, me hace sentir menos racional de lo que me gustaría creer que soy. Ante esta impactante noticia decidí poner más atención a mis acciones y a las de quiénes me rodean. Necesito verificar si en realidad los seres humanos somos tan poco pensantes respecto a nuestras actividades cotidianas. Mis observaciones reforzaron la idea propuesta por los estudiosos de la conducta, casi todo lo hacemos de manera automática. Analicemos algunas situaciones.

Los primeros hábitos del día.

Cuando nos despertamos practicamos más costumbres de las que pensamos. Suena el despertador, extendemos el brazo y damos un certero golpe al botón que retarda el timbre para dormitar otro poco: "otros cinco minutos". Hacemos esto un par de ocasiones y entonces nos levantamos de la cama. Incluso hay personas que programan su despertador diez o quince minutos antes de la hora que desean para disfrutar de este perezoso autoengaño. Todos los días es lo mismo.

Una vez que nos levantamos tenemos una rutina establecida. Algunas personas van directo al baño. No importa a qué hora se acostaron la noche anterior ni la cantidad de líquidos que tomaron, al despertar hay que ir al inodoro. Otros en cuanto ponen sus pies en el suelo se dirigen a la cocina para preparar el café. Su caminar cuasi sonámbulo es tan automático que pueden realizarlo sin abrir los ojos. Si por algún motivo la noche anterior su pareja cambió un mueble de ubicación, seguramente se estrellará con él y gritará molesto: "¿Quién ha movido esta cosa de su lugar?". Parece que va despierto, pero la realidad es que es su hábito quién le guía en su recorrido.

Los hábitos son tan fuertes que cuando una persona que acostumbra tomar café en cuanto despierta no puede hacerlo, se desespera. Por ejemplo, si durante la visita a unos amigos o familiares con los que no tiene mucha confianza se levanta temprano, no sabe qué hacer. Como no escucha ruidos que indiquen que alguien más se ha despertado no se atreve a salir de la habitación. Conforme pasan los minutos no sabe si ir a la cocina y preparar el café o si debe esperar. Como león en jaula deambula por la habitación cavilando qué hacer: "¿Voy a la cocina y preparo la cafetera o debo esperar a que alguien de la casa lo haga?", "¿será imprudente que me adelante?". Está ansioso, ¿por qué? Pues porque le están rompiendo un hábito.

Nuestros hábitos nos siguen a cualquier parte que vamos. Cuando nos duchamos seguimos una rutina. Siempre nos enjabonamos y secamos siguiendo una misma secuencia, por ejemplo, primero el brazo derecho, luego el izquierdo. La espalada es antes que las piernas, etc. Piénselo y compruébelo la próxima vez que se meta a la regadera. Incluso le invito a intentar alterar el orden en que lo hace. Lo más probable es que, para empezar, cuando se bañe se olvide de hacer este experimento y lo recuerde a la mitad del proceso o incluso después de haberlo terminado. No importa, espero que se bañe con frecuencia y pueda intentarlo la próxima vez. Al hacerlo se dará cuenta que implica un esfuerzo no secarnos en el orden acostumbrado. Esto sucede porque para romper un hábito requerimos hacer un esfuerzo mental. La inercia del hábito nos "empuja" a continuar actuando como marca la costumbre que hemos adquirido.

Una clara muestra de esta inercia inconciente queda reflejada cuando salimos de casa en nuestro automóvil en un día no hábil. A pesar de estar concientes que ese día no iremos al trabajo o a dejar a los chicos a la escuela, tendemos a tomar las avenidas que nos llevan allá. Cuando nos damos cuenta de ello, en lugar de reconocer que actuamos sin reflexionar, culpamos al auto pensando: "este auto se va automáticamente al trabajo, ya se sabe el camino". Vaya, ahora resulta que es el automóvil quien debería estar conciente de las decisiones que tomamos, o tal vez es él quien adquirió los hábitos y le cuesta mucho trabajo cambiarlos.

Nuestro comportamiento en la mesa también está plagado de usanzas. Para empezar pensemos en los lugares que ocupamos al sentarnos. Tendemos a hacerlo siempre en el mismo espacio. Incluso terminamos por tomar propiedad de uno de ellos y lo bautizamos como "nuestro lugar". Si tenemos un invitado a comer y antes de tomar asiento nos pregunta dónde debe sentarse, respondemos de manera casi automática y por razones que ignoro, que no tenemos lugares preasignados. Entonces mentimos: "Siéntate donde gustes, aquí no tenemos lugares específicos". Pero si nuestro amigo osa posarse en donde nosotros lo hacemos, nos sentimos incómodos. "Ay Dios mío, ¿por qué se sentó allí?". Creemos que la comida no nos sabrá igual si nos ubicamos en otra parte o el ama de casa justifica tener un lugar predilecto argumentando: "me ubico aquí para quedar más cerca de la cocina". Seamos sinceros, el lugar donde nos sentamos no altera el sabor de los alimentos, además está científicamente comprobado que la ubicación de la persona en la mesa no modifica la sensibilidad de las papilas gustativas. Tampoco creo que haga diferencia alguna que la señora se siente cuarenta centímetros más lejos de su estufa. La realidad es que nos están alterando las rutinas que tenemos y nos molesta que esto suceda.

He conocido familias en las que, a pesar de contar con un comedor circular, afirman que el padre se sienta en la cabecera. ¿Cómo es posible que crean que una mesa redonda tiene cabecera? Lo más increíble es que todos los miembros de la familia saben perfectamente cuál es ese lugar. He comprobado que la razón para que esto suceda se debe a que años atrás contaban con una mesa cuadrada o rectangular. Obviamente el papá ocupaba el lugar en uno de los extremos de la mesa. Supongamos que ese punto daba hacia la ventana. Ahora que ya no tienen esa mesa y la sustituyeron por una redonda, ubican la cabecera en el espacio frente a la ventana. ¡Cambiaron la mesa pero sostuvieron su hábito!

Durante la comida es posible que, dependiendo del alimento que se sirve sepamos la conversación que se desarrollará. Cuando tomamos la crema de espárragos alguien comentará lo maravilloso que sabía la sopa de ese tipo que preparaba la tía Consuelo; después se comentará lo celosa que era para compartir sus recetas y la ocasión en que prefirió preparar personalmente la sopa para más de cincuenta invitados, antes que revelar su secreto sobre cómo hacerla.

Los hábitos de la mesa también se ven representados en conductas y respuestas condicionadas como la que narro a continuación. Imaginemos una familia en la que el padre tiene antecedentes de padecimientos por presión alta. Debido a esto el médico le ha prescrito abstenerse de comer sal. Cada vez que él utiliza el salero o se lo solicita a alguien, la esposa reclama que no está cuidando su salud. ¡Peligro!, ¡alerta roja! La guerra fría está a punto de manifestar su versión casera. A partir de este momento el aire se puede cortar con un cuchillo, la tensión llega a su estado máximo y las moléculas del reclamo y el enojo saturan el comedor. Si uno de los hijos lleva a su novia a comer a casa por primera vez y el futuro suegro pide a la jovencita que le pase la sal, el botón de la bomba familiar aparece, todos los presentes, a excepción de la invitada, sienten la tirantez de la situación; alguien intenta cambiar la conversación sacando algún tema irrelevante y las miradas entre los comensales expresan la angustia de vivir una batalla más enfrente de la muchacha. Ella ignora los hábitos de la familia de su novio y por lo mismo tal vez ni se entere de lo que está sucediendo, sin embargo, el resto de las personas que están en la mesa están muy tensas, pues saben perfectamente lo que está pasando porque conocen las rutinas de la familia.

Los hábitos pueden ser una bendición.

¿Puede verlo? Apenas llevamos unos minutos con los ojos abiertos y ya hemos actuado no sé cuántas veces siguiendo prácticas inconcientes y no procesos analíticos. Esto no significa que movernos con base en hábitos sea negativo, de ninguna manera; pero lo que sí implica es que dependemos de nuestras rutinas mucho más de lo que nos imaginamos. Somos seres de costumbres. Si estos razonamientos sobre los hábitos son correctos, entonces aparecen ante nosotros grandes posibilidades para mejorar nuestra vida, pues si los hábitos determinan mucho de lo que hacemos y éstos son adquiridos, entonces podemos desarrollar nuevos hábitos. Tenemos la capacidad de renunciar a rutinas que dañan nuestra vida y somos capaces de adquirir hábitos que nos beneficien. Si transformamos nuestros hábitos ellos transformarán nuestra existencia y los resultados que obtengamos. Partamos entonces que buena parte de lo que hacemos es fruto de la costumbre y ésta es algo que adquirimos; al ser así, entonces podemos desarrollar nuevas rutinas que nos ayuden a ser más efectivos en lo que hacemos. Al hacerlo seremos testigos de cómo nuestro potencial empieza a manifestarse en nuestras relaciones y metas. Crecer es posible y los hábitos son un excelente medio para hacerlo. No sólo contamos con la capacidad para desarrollar nuevos y mejores hábitos, es la manera más común bajo la que operamos cotidianamente.

En la medida en que vayamos adquiriendo costumbres convenientes para nuestros propósitos seremos mejores trabajadores, personas más ordenadas, relajadas, saludables e incluso divertidas. Gracias a esto nuestras relaciones humanas pueden mejorar y podemos producir nuevas alternativas para incrementar nuestros ingresos o hacer que nos rinda mejor el tiempo. Si logramos modificar de manera importante los hábitos que tenemos, prácticamente podremos cambiar nuestra vida. ¡Un momento, no siga leyendo tan rápido! Deténgase a reflexionar sobre lo que recién anoté, es sumamente importante, es la razón de ser de éste libro. Lo repetiré para que ahora lo lea con actitud reflexiva: "si modificamos los hábitos que tenemos, cambiamos nuestra forma de vida". Esta es una posibilidad realista y maravillosa, una gran revelación que si la entendemos y actuamos con base en ella lograremos grandes cambios. ¿Le gustaría cambiar algo en su vida? Es posible hacerlo y ese maravilloso mecanismo que poseemos llamados hábitos, son la herramienta para lograrlo.

Esa es la razón por la que decidí escribir esta obra. Estoy convencido que cada ser humano posee el potencial para llevar su existencia más allá de donde se encuentra actualmente. Creo firmemente, y he visto a muchas personas demostrarlo con sus vidas, que todos contamos con la oportunidad de modificar o perfeccionar nuestro camino; y los hábitos que adquirimos, sostenemos o modificamos influyen tremendamente en los resultados que obtenemos. Es mi intención que conforme avanza en la lectura vaya descubriendo cómo sustituir aquéllas costumbres que no le están beneficiando por otras que le faciliten el camino hacia sus anhelos. Le invito a leer cada tema con disposición de aprender y de revisar sus acciones y actitudes. Si conforme avanza en la lectura se da cuenta que hay otras personas para las que este libro sería una ayuda, regáleles un ejemplar o posteriormente comparta con ellos lo que vaya comprendiendo, pero no se equivoque siguiendo la lectura con ellos en mente. Concéntrese en usted mismo, piense en sus propios hábitos, analice su situación y propóngase elevar la calidad de su vida.

Prepárese para ubicarse ante un espejo del comportamiento que le permita identificar las áreas que puede perfeccionar. Recuerde que los hábitos son adquiridos y determinan buena parte de la vida. Al cambiar sus hábitos, cambia su vida.

CAPÍTULO 1.

Conociendo más sobre los hábitos.

Adquirir desde jóvenes tales o cuales hábitos
no tiene poca importancia: tiene
una importancia absoluta.
—Aristóteles

*L*os hábitos, dentro del comportamiento humano, son respuestas automáticas, específicas y aprendidas, ante ciertos estímulos; es la forma que hemos adquirido para responder, sin pensarlo, ante cierta información. Por ejemplo, ¿le ha sucedido que al conducir va concentrado en sus pensamientos y de pronto descubre que está haciendo alto ante un semáforo? No recuerda cuando frenó, no se percató del instante en que vio la luz indicarle que se detuviera; sin embargo lo hizo. De igual manera, en otras ocasiones nos pasa lo contrario; de repente, al conducir el automóvil, nos damos cuenta que estamos atravesando una calle sumamente transitada sin haber confirmado cuál era la luz del semáforo. En menos de un segundo analizamos la situación para entender que, a pesar de que aparentemente no habíamos prestado atención, el semáforo sí se encontraba mostrando la luz verde para nuestro carril.

Lo que sucede en este tipo de casos es que hemos desarrollado un hábito para responder a las indicaciones de las luces de circulación. Recordemos que los hábitos son respuestas automáticas ante un estímulo. Aunque no estamos concentrados en atender las señales de tráfico, nuestro ojo percibe el color de la luz del semáforo y mecánicamente respondemos frenando el coche. Estímulo: luz roja, respuesta condicionada: pie derecho al pedal del freno. Estímulo: foco verde, respuesta automática: mantenemos el pie derecho oprimiendo el pedal del combustible. Estímulo: luz amarilla. En este caso la respuesta varía dependiendo del hábito que haya desarrollado cada persona; para muchos la reacción automática es pisar el acelerador a fondo para intentar pasar antes que la luz se ponga en rojo. Por supuesto que a quiénes poseen esta costumbre les será muy conveniente y seguro cambiarla por la desaceleración del vehículo. Al hacerlo no sólo reducen las posibilidades de recibir una multa, sino también las de evitar un accidente.

Basado en esta definición de hábito, como respuesta automática y específica ante un detonador, podemos concluir que una vez que identificamos cuáles son los hábitos que posee una persona, podemos prever los comportamientos que tenderá a tener ante ciertos estímulos. Es como cuando en una pareja matrimonial uno de ellos menciona una frase conociendo perfectamente la reacción que vendrá de parte del otro: "eres igualito a tu padre", o "sabía que a final de cuentas no harías lo que prometiste". En estos casos el detonador de las reacciones condicionadas son las palabras o incluso los gestos y entonaciones emitidas mientras se decían esas frases.

Hábitos, instintos y actos reflejos.

Nadie nace con hábitos, ni siquiera las monjas y los sacerdotes. Nadie. Los hábitos son adquiridos. Hay quienes afirman que no es así, que los seres humanos contamos con respuestas condicionadas de nacimiento y que por lo tanto no todas son aprendidas. La conclusión a la que he llegado después de leer sobre las diferentes teorías e investigaciones, así como de observar el comportamiento humano, es que las respuestas innatas que tenemos ante determinadas situaciones son instintos, no hábitos. Charles Pierce, estudioso del comportamiento humano de principios del siglo XX, decía que los instintos son una especie de hábitos heredados. Entre las ciencias biológicas y humanas (antropología, sociología y psicología) continúan investigando y debatiendo si los seres humanos poseemos instintos o sólo reflejos. La diferencia es que los primeros son un proceso complejo que involucran la totalidad del organismo y sirven para que los seres vivos se adapten al medio ambiente en el que se desenvuelven.

Pensemos por ejemplo en los procesos de reproducción de los animales. Resulta interesantísimo ver cómo una elefanta en celo despide humores y sonidos que son percibidos a kilómetros de distancia por los machos, los cuales logran encontrarla siguiendo su rastro invisible. Este, como vemos, no es un proceso sencillo, puesto que involucra gran diversidad de mecanismos biológicos, tanto en la hembra como en los machos. De igual manera, es asombroso ver cómo las ballenas, mariposas monarcas, pingüinos, gansos y muchísimas especies animales más, realizan recorridos gigantescos para reproducirse, alimentarse, sobrevivir inclemencias, etc. Su proceso instintivo involucra tanto su sistema nervioso, como el digestivo, reproductivo, locomotor e incluso los sentidos.

Por su parte los reflejos son procesos sencillos que sólo involucran una pequeña parte del organismo y no se relacionan con asegurar la supervivencia del ser vivo, su adaptación al medio o la conservación de la especie, como lo hacen los instintos. Como reflejo podemos pensar en la pupila que se dilata o contrae con base en la cantidad de luz que recibe; o la pierna que se extiende cuando damos un ligero golpe a nuestra rodilla. Estos son actos simples que sólo comprometen una región del cuerpo y que, por supuesto, no tienen nada que ver con la sobrevivencia. Es por esto que una corriente de investigadores argumenta que los humanos no poseemos sistemas tan complejos como los animales, sino que nos limitamos a poseer reflejos. Sin embargo en estos últimos tiempos en que se ha iniciado la carrera de la investigación sobre el cerebro humano, se han identificado algunos comportamientos innatos que podrían considerarse como un proceso instintivo más que un acto reflejo. Esto ocurre, por ejemplo, con una investigación en la que se dedujo que el hombre experimenta máyor atracción física por la mujer cuando ésta se encuentra en período de ovulación. De ser así, nos encontraríamos ante un acto instintivo complejo y relacionado directamente con dar continuidad a la especie. Seguramente el debate continuará y se irá esclareciendo en la medida en que los resultados de nuevas investigaciones aparezcan.

Por lo pronto, y aclarando mi posición al respecto, soy de la opinión que las personas poseemos procesos instintivos, además de los reflejos; pero sobre todo, y esto es lo más relevante con relación al tema que nos compete, afirmo, junto con el consenso científico, que tanto los instintos como los actos reflejos son congénitos y comunes a toda la especie. Todos nacemos con ellos y si alguien no los tuviera, entonces estaríamos ante un caso patológico. Los instintos y reflejos son comunes a toda la especie, no varían de un ser a otro dentro de la misma especie y si se diera el caso, como recién mencioné, se trataría de una enfermedad o anomalía. Como ejemplo de un acto humano innato pensemos en la primera alimentación en la vida de las personas. Ningún bebé requiere ser instruido para succionar el pecho de su madre; el simple contacto de sus labios con el pezón de mamá activa un mecanismo interno que ya venía programado en sus genes, de hecho ante la sensación de hambre el pequeño busca con su boca el seno materno. Para algunos éste será un acto simple y por lo tanto reflejo, y para otros uno complejo, entonces instinto, pero lo que es indiscutible es que nacemos con ese instructivo auto ejecutable instalado en nuestro ser.

Los hábitos son aprendidos.

Como mencioné anteriormente, lo importante de todo esto respecto a nuestro estudio es que los hábitos, a diferencia de los instintos y las reacciones reflejas, son adquiridos, no innatos. En contraste con el ejemplo de la alimentación del bebé, pensemos en lo que se requiere para ayudar a un niño a manipular correctamente un tenedor, un cuchillo o los palos chinos. No es algo sencillo ni inmediato, requiere invertir tiempo, explicar, practicar y repetir el proceso, es decir, implica adiestramiento.

Por ser aprendidos, los hábitos cambian de cultura a cultura y de familia a familia, incluso una misma persona puede modificar sus hábitos a lo largo de su vida. Podemos deshacernos de aquéllos que ya no deseamos o que se han convertido en innecesarios o perjudiciales para nuestros intereses. De igual forma tenemos la alternativa de adquirir los hábitos que nos ayuden a alcanzar las metas que buscamos o a mejorar nuestra calidad de vida. Esta es la buena noticia al respecto.

¿Cuántos hábitos ha desarrollado usted? Seguramente son tantos que ni siquiera podrá numerarlos sin omitir muchos de ellos. Cuando practicamos un deporte desarrollamos bastantes hábitos para poder ejecutarlos correctamente. El tenista aprende cómo tomar la raqueta, con qué inclinación golpear la pelota; cómo acomodarse para dar un revés; a qué altura lanzar la bola y pegarle para realizar un buen servicio. El beisbolista automatiza su técnica de bateo a tal grado que si a un excelente bateador le preguntamos cómo lo hace, lo más probable es que no sepa explicarlo, pues para él es algo automático, simple, coordinado más por el hábito que ha generado que por un razonamiento.

Un ama de casa maneja la plancha y desarruga la ropa mientras observa un programa en el televisor o conversa con alguien más. El chef del restaurante toma diestramente con una sola mano los blanquillos, los estrella y tira los cascarones a la basura en un par de movimientos inconscientes. El obrero de la línea de producción acomoda las piezas que le corresponden con una habilidad y velocidad que seguramente consideró imposible de alcanzar en su primer día de trabajo.

Hacemos hábito de todo. Hay personas que cuando asisten a la iglesia buscan sentarse cada semana en la misma banca o por lo menos en la misma zona. Esta es una costumbre tan fuerte que si en una ocasión descubre que alguien ocupa esos lugares se molesta o por lo menos piensa: "se ha sentado en mi lugar". Invariablemente en los talleres y seminarios que imparto sucede algo similar. El primer día o durante la primera sesión los asistentes ocupan sus lugares aleatoriamente. Lo divertido es que para la segunda sesión, incluso si es un día después, intentan ubicarse en el mismo sitio donde lo hicieron la vez anterior. ¡Bastó una sola vez para que tomaran propiedad de ese espacio! No cabe duda, tendemos a convertir casi todas nuestras prácticas en un hábito.

La experiencia de aprender un hábito.

¿Recuerda cuando aprendió a conducir un automóvil? Muchas personas vivieron una verdadera prueba de fuego durante este proceso. Para algunos es un recuerdo doloroso, principalmente cuando quien les enseñó es un familiar cercano.

—"Cuidado, fíjate por donde avanzas".

—"Me fijaría bien si no me estuvieras gritando, me asustas".

—"Pues cómo no me voy a asustar si parece que vas a estrellarte cada veinte segundos".

—"Tenme paciencia, ¿no ves que estoy haciendo mi mejor esfuerzo?"

—"No me levantes la voz, ¿acaso no te das cuenta que te estoy haciendo el favor de enseñarte a manejar esta cosa?".

—"¡No te levantaría la voz si tú no lo hubieras hecho primero!"

—"Ahora resulta que yo soy el culpable de que manejes tan mal".

—"Mira, creo que prefiero que no me ayudes en esto, últimamente , mejor continúo viajando en transporte público o le pago a una escuela de manejo para que me enseñe".

¿Alguna vez vivió algo similar? Los desaguisados cuando se está viviendo este proceso de aprendizaje suelen ser más frecuentes que los señalamientos de tránsito que encontramos en el camino. La razón generalmente es que quien está fungiendo como maestro, domina la actividad, ya es un hábito en él o en ella; sin embargo, para el aprendiz todo implica demasiada concentración, coordinación, análisis y destreza. Este proceso de aprendizaje se convierte en una prueba de paciencia para ambos. Si el automóvil en que estamos aprendiendo tiene caja manual de velocidades, sufrimos para lograr coordinar los nuevos movimientos que requerimos aprender: quitar paulatinamente el embrague; pisar con mayor fuerza el acelerador con el otro pie; trasladar la palanca de primera a segunda; mirar al frente y por el espejo retrovisor simultáneamente. "¡Dios mío no lo lograré. Esto es más difícil que cruzar el Niágara en bicicleta!"

Dominar la conducción de una maquinaria compleja como lo son los automóviles es todo un reto para cualquiera; sin embargo, con la práctica, terminamos haciéndolo. La misma persona que aseguraba que jamás lo lograría después conduce sin siquiera requerir de mucha concentración. En repetidas ocasiones he visto a mujeres que mientras conducen escuchan música, se maquillan, van desayunando o peinando a sus hijos y hablan por teléfono. No lo recomiendo ni sugiero que se haga, sin embargo lo he presenciado. Estoy seguro que tiempo atrás esas mismas personas sufrieron para controlar los movimientos básicos del vehículo; sin embargo, ahora lo hacen de manera automática. Al inicio olvidaban poner la luz direccional antes de virar y ahora, además de hacerlo sacan su mano con los dedos extendidos, pero cuando lo hacen no es para indicar al conductor trasero que van a dar vuelta, sino para secar con el aire sus uñas, pues acaban de pintarlas mientras hacían alto en el semáforo anterior. Han desarrollado tal capacidad para atender y realizar tantas actividades simultáneamente mientras manejan, que fácilmente podrían montar un número malabarista – automotriz para el *Cirque du Solei*.

Los hábitos se adquieren por repetición.

Los hábitos se aprenden por repetición de un mismo acto. Esta es la clave para adquirirlos. Comentábamos lo desafiante que resulta aprender a conducir un auto, sin embargo lo logramos con base en la práctica. Este es el secreto para adquirir una costumbre que podamos realizar correctamente sin tener que pensar al hacerlo. Nadie adquiere el vicio del tabaco o el alcohol por haber fumado un cigarro o ingerido bebidas alcohólicas en una noche. No, estos vicios echan raíces para convertirse en adicciones después de que se practican frecuentemente. Es la repetición constante la que los convierte en un terrible hábito, no el poder o influencia de la nicotina y el alcohol.

Recuerdo las primeras lecciones de mecanografía que recibí cuando cursaba la escuela secundaria. El maestro nos ponía a practicar lecciones que de momento parecían absurdas. Escribíamos una y otra vez letras y palabras incoherentes como "fjfjfj, jfjfjf, jafa faja jafa faja". Al principio mis compañeros y yo nos equivocábamos constantemente, pero después de practicar horas ese tipo de movimientos, la mayoría terminamos dominando la técnica. El examen final consistió en transcribir un texto que debíamos leer al tiempo que escribíamos sin ver el teclado y en un tiempo determinado. Para ello colocábamos una especie de mandil de nuestro cuello a la máquina para impedir que pudiéramos observar las teclas. Sucedió lo que parecía increíble, pudimos realizar el ejercicio con mucha mayor fluidez y exactitud de la que imaginábamos. La repetición de ejercicios didácticos permitió que nuestro cerebro asociara cada letra del alfabeto con una tecla específica de la máquina. Nuestros dedos se movían a buena velocidad identificando el lugar exacto de cada letra y signos ortográficos. Al percibir nuestro cerebro una letra, o al pensar en ella, nuestros dedos se movían de manera automática hacia la tecla correcta del teclado. Qué maravilla, ¿no? Es como si hubiéramos programado una maquinaria de producción robotizada.

Actualmente podemos ver como el uso cotidiano de los ordenadores permite que personas que no han tomado clases de mecanografía también escriban con una velocidad aceptable. Es el uso frecuente, es decir, la repetición, la que hace que desarrollemos esa destreza. Aprender a tocar un instrumento musical exige lo mismo: repetición. En la medida en que cualquier disciplina o acción es practicada y repetida una y otra vez, se incrementan las posibilidades de que se conviertan en un hábito. Dicho de manera simple y a manera de conclusión, sin repetición no hay hábitos.

Los hábitos nos hacen la vida fácil.

Cuando damos nuestros primeros pasos como chofer ponemos atención hasta en el sonido del motor para reconocer el tiempo adecuado de cambiar la velocidad; después ya no es necesario, llevamos la palanca de un lugar a otro en perfecta sincronía con nuestros pies que realizan un movimiento contrario; mientras uno se está retirando del pedal izquierdo, el otro impulsa el derecho. ¡Qué maravilla!

¿Lo había pensado? Realmente tomar perfecto control de un automóvil implica coordinar movimientos dispares a un mismo tiempo en cada una de nuestras extremidades. Por si esto no fuera suficiente desafío, lo hacemos mientras observamos el camino, el espejo retrovisor, los laterales y sostenemos una conversación con quien nos acompaña. Es algo sumamente complicado, sin embargo, se convierte en una rutina, algo simple y ordinario que ni siquiera exige mucha concentración cuando sabemos hacerlo ¿Por qué? Porque no sólo aprendimos a manejar el auto, gracias a la práctica lo hemos convertido en un hábito y por lo tanto, en una acción impensada, casi instintiva.

No sé si usted había reflexionado que conducir un carro realmente es operar una maquinaria muy compleja. Sin embargo nos parece normal y nos acostumbramos a que prácticamente cualquier persona aprenda a hacerlo. Hay gente que se siente incapaz de operar máquinas mucho más sencillas y no se han dado cuenta que al conducir operan una mucho más complicada. Los hábitos nos permiten controlar esta operación sin siquiera sentirlo. Esto nos muestra la razón de ser de los hábitos, hacernos la vida más sencilla. Gracias a Dios contamos con este mecanismo interno, invisible, pero sumamente efectivo, que nos lleva a convertir en costumbre prácticamente cualquier actividad que realizamos. Le repito, los hábitos nos hacen la vida fácil. Son la herramienta que nos permite economizar energía y concentración para realizar varias cosas a la vez, o por lo menos, hacer una sin desgaste mental.

Si lo vemos desde esta perspectiva, economizar es la función de los hábitos. Imagínese que los seres humanos no pudiéramos convertir en hábitos las diferentes acciones que ejecutamos. Eso implicaría que cada vez que nos subiéramos a un automóvil tendríamos que recordar cuál es el proceso para conducirlo. "¿Qué era primero?, ¿dónde va la llave del encendido?, ¿hacia dónde debo virarla?, ¿cómo sé hacia dónde debo mover la palanca de velocidades?, ¿el embrague debe salir antes de acelerar o después de ello?" Sería una verdadera locura, requeriríamos absoluta concentración cada vez que deseáramos trasladarnos en el automóvil.

Exactamente el mismo grado de complicaciones y enfoque nos exigiría cada actividad cotidiana. Si no contáramos con una rutina al iniciar el día, cada mañana implicaría un desgaste terrible. Cuando despertáramos, de entrada tendríamos que decidir qué hacer: "¿me meto a bañar o despierto primero a los hijos? No, tal vez debería poner el café; pero... quizás antes de eso paso al baño para lavarme la cara y entonces preparo el desayuno. No, no, primero sacaré al perro para que no vaya a ensuciarse en la casa. Oh, no, cuántas decisiones y apenas tengo cuatro segundos de haber despertado". Al contar con un automatismo matutino, cuando nos levantamos nuestra mente sabe lo que hay que hacer primero. Como ya tiene una rutina, simplemente dirige nuestro cuerpo para realizarla sin complicaciones.

Sin hábitos, cuando fuéramos camino al trabajo tendríamos que poner toda nuestra atención en elegir qué avenidas tomar; observar detenidamente las señales de tránsito y semáforos para no violar los reglamentos. Al encender el computador necesitaríamos tener a disposición un manual operativo para leer en él cada función que deseáramos activar. "¿Dónde se encuentra la tecla que permite eliminar la última letra escrita?, o ¿en donde se encuentra el botón para escribir un acento?" Gracias a que tenemos hábitos, ni siquiera requerimos pensar dónde está ese botón. Es más, una vez que tenemos un tiempo utilizando el teclado del ordenador, no es necesario voltear a verlo; nuestros dedos se mueven sobre él conociendo perfectamente dónde se ubican la mayoría de los signos que deseamos usar. Es como si las yemas tuvieran lectores de alta velocidad. A eso me refiero con que los hábitos son una cuestión de economía; nos permiten hacer cosas, que en un principio nos eran complejas, de manera rápida y sin gran esfuerzo. Ahorramos tiempo, energía y concentración.

Otra función original de los hábitos.

Hemos aclarado que adquirimos los hábitos por medio de la repetición, pero ¿cuál es el motivo por el que tendemos a automatizar casi todo lo que hacemos?, ¿qué pretendemos obtener al formarnos un hábito?, en otras palabras, ¿por qué formamos hábitos? La respuesta es que lo hacemos por dos sencillas razones, primera, nos ayudan a resolver o evitar un problema y segunda, nos producen una satisfacción. Soportamos las peleas con el instructor de manejo o le pagamos a una compañía especializada en esta enseñanza porque sabemos que conducir nos ayudará mucho. Ya no queremos depender de otros para transportarnos o no deseamos hacerlo en medios públicos, es incómodo y nos toma más tiempo. Entonces preferimos aprender a manejar. Así este hábito nos resuelve el problema de traslado y además nos puede producir la satisfacción de sentirnos más independientes y auto suficientes, cuando menos en el asunto del transporte.

Una persona no fuma porque anhele adquirir cáncer en sus pulmones. No he conocido fumadores que visiten al médico para sacarse una radiografía deseosos de encontrar enfisema pulmonar; o que si al hacerse el examen médico les diagnostican que no tienen células malignas, se entristezcan y se propongan fumar con mayor insistencia para obtenerlas. Por supuesto que no desean eso. Fuman porque al hacerlo obtienen algún placer o si ya no lo experimentan, sí lo hicieron al principio. Su problema es que, debido a la repetición, se les ha quedado el hábito de fumar. Incluso es posible que cuando una persona empieza a fumar en su juventud, ni siquiera encuentre placer al aspirar el humo del tabaco; pero le produce satisfacción lo que cree que opinan los demás jóvenes y jovencitas cuando le ven con el cigarro en la mano. Tal vez piense que al hacerlo adquiere mayor popularidad, hombría, se ve sexy, se siente de mayor de edad o refuerce su postura de rebelde, y esto le produce satisfacción. El problema es que cuando esta acción se convierte en un hábito, lo relevante ya no es si produce o no placer; sino que se ha arraigado en la persona y se ha convertido en un acto inconciente. Así, todos los hábitos son adquiridos por alguna de estas dos causas: resolver un problema (que en el fondo suele ser evitar sufrimiento o dolor) u obtener una satisfacción.

Resumen del capítulo.

En el comportamiento humano los hábitos son las respuestas automáticas, específicas y aprendidas ante ciertos estímulos. Son condicionamientos que adquirimos por medio de la repetición de un mismo acto. Un hecho importante respecto a ellos es que son aprendidos y, por lo tanto, pueden ser modificables y desechados o adquiridos por voluntad de la persona. Por su parte los instintos son acciones innatas que permiten a un ser vivo sobrevivir, reproducirse y adaptarse al medio ambiente en que se desenvuelve. Los instintos, a diferencia de los hábitos, son comunes a toda una especie, mientras que los segundos, por ser adquiridos, dependen de cada persona o cultura en la que se encuentra inmersa. Los instintos son procesos congénitos complejos porque para operar involucran prácticamente la totalidad del organismo. Los actos reflejos también son condicionamientos naturales, pero a diferencia de los instintos son condicionamientos biológicos simples, es decir sólo involucran un elemento o una pequeña parte de un sistema del cuerpo.

La función central de los hábitos es hacernos la vida más sencilla, pues al generar acciones condicionadas evitan que tengamos que invertir energía y tiempo en concentrarnos, analizar y decidir, para realizar determinadas actividades. En pocas palabras, los hábitos son un proceso economizador del ser humano. Las razones centrales por las que adquirimos los hábitos son dos: Obtener una satisfacción, evitando o reduciendo el dolor o sufrimiento, y resolver una situación, que planteado de manera inversa es evitarnos un problema o complicación.

CAPÍTULO 2.
Tipos de hábitos

Cuando veáis a un hombre sabio,
pensad en igualar sus virtudes.
Cuando veáis un hombre desprovisto de virtud,
examinaos vosotros mismos.

—Confucio

*H*ay diferentes maneras de clasificar los hábitos. Una de ellas es con base en las consecuencias que nos producen; otra es catalogarlos dependiendo del tipo de respuesta inmediata que generan, es decir la naturaleza de la reacción primaria. En este capítulo abordaremos estas clasificaciones con la intención de comprender mejor cómo nos afectan y, por lo mismo, cómo podemos controlarlos, cambiarlos e incluso, eliminarlos. Al hablar de las consecuencias que nos producen entendemos que unos hábitos son de provecho y otros nos perjudican. En ocasiones nuestras costumbres van más allá de nuestra persona y la consecuencia no sólo es sobre nosotros, sino que también benefician o dañan a terceros, por lo general familiares, compañeros de trabajo y los amigos más cercanos. Es por ello que es importante conocer con detalle cuáles son los hábitos que poseemos; analizar cuáles debemos modificar o eliminar y cuáles nos gustaría desarrollar. En las estrategias de guerra se dice que es fundamental conocer a tu enemigo para saber por dónde combatirlo, encontrar sus lados débiles y su forma de operar para entonces atacarle con una estrategia específica. Veamos pues los diferentes tipos de hábitos, revisemos cómo influyen en nosotros y cuáles de ellos están arraigados en nuestro ser.

Vicios y virtudes.

Para empezar retomemos la idea de que existen hábitos que nos benefician así como otros que nos perjudican. Por benéficos me refiero a que nos ayudan a tener una vida más armoniosa y sana. Son rutinas que nos dirigen hacia la consecución de las metas que buscamos. Este tipo de costumbres facilitan la convivencia con nuestros semejantes, favorecen la salud y se convierten en soporte para la consecución de nuestros deseos y por lo tanto, de la felicidad. A éstos les llamamos virtudes. Entre las más comunes se encuentran la paciencia, la disciplina, la amabilidad, el ahorro, la buena administración, la sana alimentación, practicar un deporte, asearse, la diligencia, la constancia, etc. Prácticamente podríamos resumir la virtud como el acto de ejercer dominio propio. El centro de control sobre nosotros mismo depende de la voluntad. Sé que el dominio propio y el ejercicio de nuestra voluntad no siempre se nos da fácilmente. Lo bueno es que cuando esas áreas no son nuestro fuerte, podemos adquirir un hábito por otros medios, los cuáles veremos en capítulos posteriores. En otras palabras, es posible desarrollar algunas virtudes a pesar de que no tengamos la voluntad férrea de los héroes de las películas.

Como contraparte se encuentran las costumbres que nos producen consecuencias negativas. Estos hábitos los conocemos como vicios. Obviamente dentro de ellos se encuentran los que dañan la salud (fumar, consumir drogas, beber alcohol en exceso, comer alimentos azucarados, harinas y grasas de manera desmedida, desvelos constantes, etc.). También consideramos aquí los que estorban la consecución de nuestra metas, como el despilfarro administrativo, la falta de disciplina y orden; la desorganización; postergar las decisiones y acciones, evadir responsabilidades, el temor a hablar temas importantes o incómodos, tomar actitud de víctimas, inconstancia, conformismo; etc. Dentro de esta categoría se encuentran aquellas rutinas que lesionan las relaciones humanas. Aquí se destacan las mentiras, el incumplimiento de acuerdos, hablar mal de los ausentes, utilizar palabras ofensivas, hablar demasiado, escuchar poco o sin prestar atención; prejuzgar; etc.

Los vicios y las virtudes, por lo tanto, son hábitos. Así, una acción incorrecta no es un vicio por sí misma, se convierte en uno cuando lo realizamos de manera repetida y constante al grado que llega a convertirse en la forma usual y automática de responder. Un acto aislado no es un vicio, sino una mala acción; pero puede ser el inicio de lo que posteriormente se convierta en vicio. El problema con los vicios es que, como ya son hábitos, son una forma automática de respuesta hacia la que tenderemos sin darnos cuenta; de allí la dificultad para dejarlos. Recuerdo un caso de mi familia que ejemplifica esto. Mi padre ha fumado desde antes de que yo naciera. A lo largo de su vida ha tenido varios intentos de dejar de hacerlo. En una de esas ocasiones recurrió al método de traer consigo un cigarro de un material plástico que colocaba en el primer lugar de su cajetilla. La intención de esto era que cuando sintiera ganas de fumar, sacara el cigarrillo falso y jugara con él en su mano en lugar de tomar uno verdadero. Lo que pretendía esta técnica era engañar un poco al cerebro haciéndolo creer que ya había cumplido con la parte mecánica del hábito, es decir, traer el cigarro entre sus dedos.

En una ocasión mi papá se encontraba en el banco conversando con el gerente. Éste le recordó que tenía el pago de un crédito vencido, situación de la que mi padre estaba enterado y que incluso planeaba resolver ese mismo día. Pero el gerente le dijo que se refería a otro crédito además del que tenía en mente. Eso implicaba una cantidad grande de dinero que él no tenía considerada. Su reacción inmediata fue llevar la mano a la bolsa de la camisa, meter los dedos en la caja de tabacos y sacar un cigarrillo. Sin pensarlo, tomó el encendedor y procedió a prenderlo. Una gran flama salió del cigarro de plástico. Tenía tan arraigado el hábito de fumar que olvidó que el cigarro era aparente. Ante la sensación de nervios su respuesta automática era fumar y, en esa ocasión, ejercer su hábito lo llevó a perder su cigarrillo paliativo y un poco de pestañas y cejas.

En el caso de las virtudes sucede lo mismo. Si alguien ha adquirido el hábito de alimentarse sanamente, cuando revisa el menú de un restaurante, ni siquiera se detiene a leer las alternativas grasosas o sumamente azucaradas; ya no son una opción en su mente. Consideremos entonces que comer sanamente en algunas ocasiones no es una virtud. Hacerlo eventualmente es un acto conveniente, pero no es un hábito. Si optamos por una comida sana de vez en vez y cuando lo hacemos estamos totalmente concientes de que elegimos comida sana, entonces todavía no es una costumbre. Recordemos que un hábito es inconciente y automático. Lo hacemos sin pensar. Lo mismo aplica cuando respondemos bien a alguien que nos desespera; o si logramos llegar a tiempo al trabajo uno que otro día. Todo ello es bueno, pero si todavía no es una respuesta común y automática, aún no es una virtud. La virtud existe cuando, sin tener que pensar, actuamos de forma tal que lo que hacemos es benéfico para nosotros o para los que nos rodean. Parece un gran reto, pero en realidad no lo es tanto; pues si hemos sido capaces de adquirir condicionamientos para responder de cierta manera, también podemos aprender otros que nos lleven a actuar mejor.

Otra categorización de los hábitos.

Así como podemos catalogar a los hábitos por las consecuencias que nos producen, también podemos agruparlos por la naturaleza de nuestra primera reacción ante un estímulo. En este sentido podemos categorizar a los hábitos en dos tipos: hábitos de acción y hábitos de pensamiento. Hasta este momento la mayoría de los ejemplos que he citado se refieren a hábitos de acción: lo que hago al levantarme por la mañana, el lugar donde me siento en la mesa o en la iglesia, los movimientos que hacemos automáticamente al conducir un vehículo, el orden que seguimos para asearnos o secarnos cuando nos bañamos, etc. Son hábitos de acción porque la respuesta automática que producen se manifiesta a través de algo que hacemos, son movimientos de nuestro cuerpo: levantarse, apagar el despertador, secarnos primero la cabeza, sentarse con la pierna cruzada, etc. Sin embargo también tenemos respuestas condicionadas a nivel mental. Así como ante diferentes estímulos formamos reacciones automáticas en nuestra forma de actuar; de la misma manera lo hacemos con nuestros pensamientos. Me atrevo a afirmar que son éstos los que suelen causarnos más problemas o nos pueden producir más soluciones.

Los hábitos de acción.

Un *hábito de acción* es una manera específica de *actuar* cuando percibimos cierta información o presenciamos un evento determinado. Un *hábito de pensamiento* es una forma automática de *pensar* ante dicha información o suceso. Obviamente nuestros pensamientos desatarán emociones y acciones; pero lo relevante aquí es que esas acciones no son la respuesta inmediata al estímulo recibido, sino que son consecuencia de los pensamientos generados. Lo que se da como respuesta contigua en este tipo de hábitos son los pensamientos, no las acciones. Por ejemplo, hay personas que en cuanto oyen palabras como reto, desafío o dificultades, sus pensamientos inmediatos (hábito de pensamiento) son negativos: "no vamos a poder", "va a ser muy difícil lograr esto", "esto no es para mí". Como vemos, ante el estímulo que representan esas palabras la respuesta condicionada es un "no puedo". Debido a que esta persona piensa así, entonces produce una emoción y luego una acción. Las emociones producidas por pensamientos pesimistas y derrotistas suelen ser tristeza, conformismo y frustración. "Qué lástima, se me irá esta oportunidad", "ni modo, no era para mí", "me desespera que no me llegan buenas oportunidades", etc.

Decíamos que los hábitos de pensamiento primero producen una idea. De allí se desprenden emociones y posteriormente acciones. Siguiendo con nuestro ejemplo, si alguien piensa que el reto es muy alto para él o ella y que por lo tanto le será imposible vencerlo, entonces ni siquiera intenta enfrentarlo. "¿Para qué si de todas maneras no podré?" Sus emociones generan una falta de respuesta; o podemos decir que su respuesta fue la inactividad. ¿Puede ver lo que está sucediendo? Con hábitos de pensamiento como éste pensamos de manera automática que las oportunidades y retos no son para nosotros; creemos que somos incapaces de resolverlas y entonces no intentamos hacerlo. Nos rendimos antes de empezar y obviamente dejamos que se nos vayan grandes negocios y alternativas de crecimiento.

En los hábitos de acción podríamos decir que no hay espacio para los pensamientos entre el estímulo y la acción (ver figura 2.1). Veamos como ejemplo a un malabarista experto. Sus movimientos no son pensados; ante los objetos en el aire (pelotas, aros o estacas con fuego) sus reacciones corporales son automáticas, la velocidad de respuesta que le exige la situación no le permite pensar cada acción, solamente la realiza. Incluso puede hacer los movimientos de sus manos de manera correcta con los ojos cerrados. Esto no es un acto reflejo, es algo que aprendió a través de la práctica. Si sus respuestas corporales fueran meramente un reflejo no lograría mantener los objetos en circulación y equilibrio. Seguramente un reflejo le llevaría solamente a evitar que las cosas le cayeran encima.

Proceso de hábito de acción

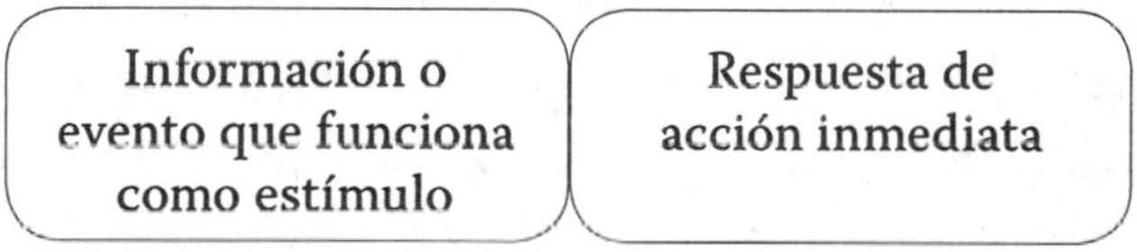

Información o evento que funciona como estímulo

Respuesta de acción inmediata

Fig. 2.1. En el hábito de acción la respuesta inmediata y automática ante el evento o información detonante es una acción.

Las técnicas manuales repetitivas como hábitos.

El dominio de las técnicas artísticas, de oficios y profesionales están muy relacionadas con los hábitos de acción. Todo arte, ciencia y trabajo posee técnicas para su correcta implementación. A quienes dominan la ejecución de esas prácticas les llamamos expertos o maestros (de maestría). Entenderemos mejor esta parte si vemos que para adquirir destreza en cualquier tipo de disciplina existen dos tipos de técnicas. A una le llamo *técnicas rutinarias* y a las otras, *técnicas de adaptación*. Aunque ambas son técnicas operativas, es decir, de acción; las primeras además de ser manuales tiene por característica que se repiten constantemente sin tener grandes variaciones. Tal es el caso de los movimientos que realiza el operador de una línea de ensamble en una maquiladora. En su situación debe repetir los mismos movimientos con cada pieza que le aparece en la banda.

Evidentemente su proceso es uno de acción. Realiza una misma actividad vez tras vez. Pero además de esto, no hay variantes en sus movimientos, o en caso que aparecieran, serían muy pocas. Simplemente tiene que aprender a ejecutar ciertos movimientos en determinado tiempo. El dominio de la técnica le puede permitir reducir el lapso en que los realiza, pero su perfeccionamiento no va más allá de esto. Por su naturaleza repetitiva suele ser muy sencillo que estas acciones se conviertan en un hábito. En la película "Tiempos modernos", Charles Chaplin parodia este tipo de situaciones al representar al empleado de una fábrica que trabaja en la línea de armado. En la historia son tantas las veces y horas que el protagonista realiza la operación de apretar unas tuercas con ambas manos que cuando sale del trabajo no puede evitar realizar el mismo movimiento.

Con los instrumentos musicales sucede lo mismo. De tanto practicar las escalas en el piano, el alumno logra ejecutarlas de manera automática. Por tratarse de una técnica manual repetitiva esta acción se convierte en un hábito. Si el hábito es aprendido haciendo la ejecución de manera correcta, entonces deriva en una destreza. Ser diestro significa tener la habilidad para ejecutar cierta técnica de manera excelente. En esto los hábitos son una gran ayuda y nuevamente la clave es la repetición. Así que si usted desea incrementar su destreza en cualquier área lo que requiere es identificar cuál es la mejor manera de realizar dicha actividad y ejecutarla repetidas veces de esa forma.

Las técnicas de adaptación.

El otro tipo de técnicas, las de adaptación, requieren de algo más que el dominio de una o varias habilidades monótonas. Estas técnicas son aquéllas en las que la persona, además de dominar la técnica repetitiva, necesita conocer y saber manejar el contexto, las variables y condiciones bajo las que aplicará dicha destreza. Tal es el caso de un cirujano. Por supuesto que debe conocer a la perfección el manejo de los instrumentales quirúrgicos y tener dominada la técnica para hacer incisiones, cortes y suturas; pero de poco le servirá ser un experto en lo anterior si no sabe interpretar el cuadro clínico del paciente y sus reacciones durante la intervención; es decir, sus antecedentes, riesgos, nuevos síntomas, etc. Resulta prácticamente imposible tener un desempeño notable en las técnicas de adaptación si primero no se cuenta con el dominio de varias habilidades rutinarias. Pensemos en el caso de un pianista de Jazz. Para realizar improvisaciones musicales junto con su banda[2] no sólo debe conocer a la perfección las técnicas de la ejecución de su instrumento (técnica rutinaria); también es necesario que sepa "leer" o "sentir" el ritmo, cadencia y estilo con el que tocan sus compañeros sus propios instrumentos para adaptar su ejecución a ese momento específico (técnica de adaptación).

En las relaciones humanas y los negocios las técnicas de adaptación son fundamentales. En el caso de la convivencia con la gente es importante que desarrollemos hábitos como el de la cortesía, la escucha empática y la asertividad; sin embargo requerimos aprender cuando es momento de escuchar y cuando de hablar. Esta es la clave de las técnicas de adaptación. Necesitamos aprender a identificar cuando aplicar lo que ya sabemos y en el momento exacto.

En el caso de la vida empresarial un ejecutivo puede dominar a la perfección varias técnicas, por ejemplo, herramientas para la toma de decisiones. Sin embargo si siempre toma decisiones de manera automática, en ocasiones se meterá en problemas aunque lo haga muy bien. ¿Por qué? Pues porque a veces lo más importante de una decisión es esperar un poco para permitir que otros participen en el proceso; o quizás si tomo la decisión de inmediato, aunque sea acertada, mi jefe o unos colegas se

---

2. La improvisación es una parte importante y representativa del estilo musical del Jazz.

pueden molestar porque no les tomé en cuenta. Desarrollar técnicas de adaptación significa que requerimos saber cuándo aplicar nuestras destrezas y cuál de ellas es la que corresponde usar en ese momento.

Cuando una persona domina la técnica adaptativa decimos que ha alcanzado el nivel de maestría en la ejecución de su disciplina. Por lo general, al solicitarle a alguien que ha alcanzado este nivel que nos explique qué proceso sigue para desenvolverse tan excelentemente, no sabe hacerlo. Esto se debe a que para llegar al nivel de maestría, el practicante ya cuenta con el dominio de varias técnicas rutinarias que ha convertido en hábitos. Al hacerlo, todo ese accionar se vuelve automático, lo realiza sin pensar; por lo mismo ignora como explicarlo, simplemente lo hace. La otra parte de su mérito descansa en sus habilidades de adaptación, las cuales son una mezcla de experiencia, los hábitos mencionados y una capacidad analítica para interpretar las diferentes variables del contexto.

La serie de televisión Dr. House nos muestra este nivel de maestría en su protagonista. Constantemente el héroe de la serie y su equipo de colegas deben dilucidar los síntomas cambiantes de sus pacientes. Sus conocimientos de las ciencias exigidas por la medicina, así como el dominio de ciertas técnicas de laboratorio, les permiten realizar sanidades sorprendentes en personas que se pasean involuntariamente al borde de la muerte. Un caso similar pasa con los grandes deportistas. Si le preguntáramos a Pelé o Maradona cuál era el secreto o las claves para jugar como lo hacían, seguramente sus explicaciones no nos llevarían a grandes conclusiones o a una receta específica. Durante el desarrollo de su gusto por el futbol, ellos fueron perfeccionando técnicas del dominio de la pelota; ensayaban a diario remates con la cabeza y seguramente realizaban prácticas de disparos con sus dos piernas. Aunque indudablemente este par de jugadores poseían una habilidad fuera de lo común para practicar este juego; se esforzaron entrenando para dominar ciertas técnicas. Lo que hizo que ellos se destacaran sobre el resto de futbolistas fue que, además de dominar las técnicas rutinarias de este deporte, sabían cómo interpretar el contexto en la cancha. Por ejemplo, podían sentir hacia donde se moverían sus compañeros y los contrincantes. Al interpretar esto, entonces aplicaban una de las técnicas rutinarias para enviar el balón a una zona específica con gran precisión o hacer quiebres con su cuerpo que sorprenderían y vencerían a sus rivales. Lo asombroso era que, además de dominar perfectamente las diferentes técnicas, sabían cuando aplicar cada una de una forma magistral. Nuevamente vemos la importancia de dominar ambas técnicas.

Lo que deseo transmitirle con esto es que debemos ser pacientes si queremos sobresalir en nuestras áreas de desempeño. Antes de pensar en alcanzar niveles de excelencia requerimos convertir en hábitos todas aquellas técnicas comunes y repetitivas que debe dominar cualquier persona en esa área. Si usted desea ser un excelente vendedor, requiere conocer de memoria todos los beneficios que ofrecen sus productos y saber perfectamente los detalles y sus especificaciones. A la par requiere dominar técnicas de presentación y prospectación; disciplinarse en el uso de un organizador personal o agenda y saber usar sus productos mejor que cualquiera. Todo lo anterior debe lograr hacerlo hasta con los ojos cerrados, de manera automática. Recuerde que la clave es muy sencilla, se llama, repetición.

Para pasar al nivel de maestría usted requiere primero dominar los puntos anteriores; pero para aprender a interpretar correctamente los contextos necesita la suma de varias actividades, la primera es experiencia, es decir realizar muchas entrevistas de venta. También será muy importante observar cómo se desenvuelven los grandes vendedores, acercarse a ellos, hacerles preguntas; leer libros y revistas que hablen del proceso de la venta y sus detalles. Es muy importante que acostumbre leer sobre el medio en el que se desenvuelve. Por ejemplo, si usted comercializa productos de salud, no se limite a leer los folletos de su empresa, suscríbase a diferentes revistas de salud y calidad de vida; compre libros de nutrición, desarrolle el hábito de investigar al respecto en Internet. La suma de todos estos factores son los que abren la puerta para alcanzar un nivel de desempeño sumamente sobresaliente.

Los hábitos de pensamiento.

En los hábitos de pensamiento existe una variante respecto a los de acción. La reacción primaria, en lugar de ser una actividad, es una idea. La segunda es la emoción que nos produce pensar eso y la tercera, finalmente, una acción (ver la figura 2.2). Por ejemplo, si un niño cree que es aburrido visitar a sus tíos y tiene arraigada esa idea, cuando escuche que sus papás anuncian que irán a casa de esos familiares, el pequeño automáticamente *pensará*: "que flojera, va a ser un tiempo de enfado". Después de este pensamiento, y como consecuencia de él, el niño no *sentirá* ganas de ir y tomará alguna *actitud* acorde. Esta manera de actuar, por ser un hábito es independiente de la realidad, es decir, tal vez si el niño va a casa de los tíos podría divertirse; sin embargo realmente cree que no sería así; pero su conclusión no proviene de un análisis, sino de una simple asociación de ideas que se han convertido, por repetición, en un hábito de pensamiento.

Proceso del hábito de pensamiento

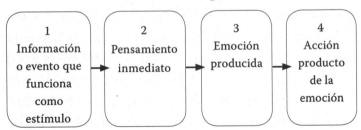

| 1 Información o evento que funciona como estímulo | 2 Pensamiento inmediato | 3 Emoción producida | 4 Acción producto de la emoción |

Fig. 2.2 En el hábito de pensamiento la respuesta inmediata y automática ante el evento o información detonante es una idea, la cual produce una emoción y posteriormente la acción.

Sigamos el proceso del diagrama con este ejemplo. Antes que el niño reciba la información detonante ya existe en su mente una asociación que le dice que ir a casa de los tíos es garantía de pasar un tiempo aburrido. Esta idea, que seguramente adquirió por experiencias previas o porque ha escuchado frases alusivas de parte de sus padres, es un prejuicio que se activará como hábito mental. Veamos: el pequeño escucha la frase: "hijo, prepárate porque iremos a casa de los tíos" (cuadro 1 del esquema). Automáticamente su cerebro recurre al archivo mental que tiene asociado con estas palabras y lo extrae. En su interior encuentra un juicio que dice: "ir a casa de los tíos es muy aburrido". (Este es el paso dos de nuestro esquema). Evidentemente el creer esto le produce una emoción de enfado o incluso enojo (tercera fase del proceso). Finalmente su emoción se manifiesta a través de una acción, puede ser un berrinche, fingir que no escuchó o gritarle a los padres: "yo no quiero ir".

El ejemplo anterior puede ser más complejo. Imaginemos que en ocasiones previas, cuando el niño no se sentía bien, los papás evitaban que saliera de casa y al menos uno de ellos se quedaba con él para cuidarle. Al repetirse esta situación se genera en el infante una asociación mental entre tener un padecimiento y permanecer en casa. Así, si desea evitar que los papás le lleven a casa de los tíos, puede decirles que se siente mal, que le duele el estómago o la cabeza. Si los papás caen en la trampa y esto sucede en repetidas ocasiones, la respuesta tramposa del niño se puede convertir en un vicio. De esta manera puede acostumbrarse a responder automáticamente argumentando algún malestar cada vez que le pidan algo que no le agrade o no quiera hacer. Este es un hábito de pensamiento.

La molestia de salir tarde del trabajo.

Mario es una persona sumamente responsable en su trabajo. Suele ser muy puntual en su hora de llegada y procura realizar las actividades con diligencia; sin embargo cada vez que le solicitan algo que implique retrasar el tiempo de su salida, se pone de mal humor. Es algo extraño que le pase esto, ya que es normal que situaciones de este tipo sucedan. Prácticamente a todos en la oficina les toca salir más tarde de la hora oficial con cierta regularidad. A pesar de que no le gusta hacerlo y como es una persona comprometida con sus funciones, Mario se queda a terminar los proyectos cuando se lo solicitan o considera que debe hacerlo. El problema radica en que lo hace molesto. Desde el mismo segundo en que se entera de la posibilidad de retraso su estado de ánimo se modifica e incluso siente una especie de nudo en el centro de su pecho. Esta molestia, además de convertir su estancia en algo desagradable, alcanza a manifestarse e incomodar a sus compañeros, pues, inconcientemente transmite tensión con su lenguaje corporal. Otra complicación fruto de esta situación es que Mario se queja en casa y con los colegas de que en la empresa no se tiene consideración hacia los trabajadores. Como los rumores son verbales y las palabras viajan por el espacio, finalmente las ondas sonoras llegan a oídos del jefe de Mario. Sin dejar pasar tiempo, su jefe le llamó a su oficina para verificar qué era lo que le tenía molesto.

Después de una conversación tensa e incómoda, Mario reconoció que efectivamente estaba en desacuerdo con el hecho de tener que quedarse constantemente en la oficina a realizar tareas laborales. Su jefe le solicitó que enlistara el número de veces que esto estaba sucediendo y que registrara de ese día en adelante todas las ocasiones en que esto se repitiera, así como la cantidad de tiempo adicional que implicaba. Para sorpresa de Mario la cantidad de veces que esto pasaba era mucho menor de lo que él creía. Entonces, ¿por qué le afectaba tanto?

Indagando sobre su manera de pensar al respecto descubrimos que había vivido dos experiencias repetitivas que le habían generado una asociación mental negativa (hábito de pensamiento) respecto a quedarse tiempo extra a trabajar. Cuando estudiaba la secundaria, uno de sus maestros preferidos hacía constantemente énfasis en lo abusivos que eran los empresarios. Con una formación y tendencia de izquierda, el docente remarcaba constantemente que las empresas explotaban a sus empleados. Uno de los ejemplos que más utilizaba para fundamentar su comentario era que pocas veces se respetan los horarios laborales de los trabajadores. Citaba casos en los que directivos injustos evitaban pagar las horas extra generadas y cosas por el estilo. El otro punto reforzador de estos pensamientos en Mario, fue su papá. Obrero con poca educación formal, el padre de Mario había trabajado en una tienda de autoservicio y después en una industria maquiladora. Constantemente Mario le veía llegar tarde y cansado a casa después de trabajar. Jamás le preguntó a qué se debía la hora de su llegada o si le habían pagado el tiempo extra trabajado; sin embargo le daba dolor y coraje verle agotado.

La exposición constante a estas dos informaciones generó en Mario una asociación mental en la que interpretaba el tiempo extra como algo injusto y doloroso. Así, ahora que él tenía un puesto de confianza en una empresa que en general trataba muy bien a sus colaboradores, cada vez que se quedaba más de lo acostumbrado su estado de ánimo se transformaba. Había generado un hábito mental que, además de provocarle angustia y molestia, le llevaba a realizar acciones inconvenientes e incorrectas (como criticar a la empresa y los jefes) cuando en realidad lo que pasaba no era de esa magnitud. Resumiendo su situación podemos decir que el detonante era trabajar horas extras, su pensamiento automático era considerarlo una injusticia y esto le hacía sentir enojo y coraje. Finalmente estas emociones las canalizaba a través de la crítica a la organización y a los jefes. Esto es otro claro ejemplo de un hábito mental.

Más ejemplos de hábitos de pensamiento.

Seguramente el caso anterior nos da una muestra de cómo los hábitos mentales distorsionan la manera en que percibimos la realidad y las consecuencias que esto puede traernos. En el ejemplo de Mario su hábito ya se había convertido en un vicio. Si no hubiera sido porque su jefe se tomó el tiempo para conversar con él en cuanto escuchó sus quejas, tal vez Mario hubiera vivido consecuencias más fuertes. Como el caso del pequeño y la visita a los tíos, o el de Mario, existen una infinidad de hábitos del pensamiento que podemos tener sin que estemos concientes de ello. Estoy convencido que muchas de las actitudes negativas de las personas tienen su raíz en una asociación de ideas enquistada, inflexible e irreflexiva. Por lo mismo me interesa exponer algunos tipos de hábitos de pensamiento. Le invito a leerlos con actitud auto evaluadora, como viéndonos en un espejo. Comentemos pues algunos de estos hábitos que he identificado como una constante en mucha gente.

La impuntualidad.

Hay personas que tienen la mala costumbre de llegar tarde a sus citas. No les sucede eventualmente, es una constante. Pareciera que su reloj biológico estuviera retrasado veinte minutos respecto al del resto del mundo. Pensemos, por ejemplo, en alguien que padece este vicio y cada domingo lo aplica en la visita que hace a la iglesia junto con su familia. Realmente no importa a qué hora sea el acto religioso, siempre llegará tarde. Si el culto es a las ocho de la mañana o a las siete de la tarde, su arribo será tardío. Por supuesto que siempre tendrá una justificación a su impuntualidad: "es que había mucho tráfico"; "mi pareja debió levantarme más temprano"; "es que anoche me acosté muy tarde" o "no me di cuenta de la hora que era".

En el capítulo anterior comentamos que adquirimos los hábitos porque nos resuelven o evitan un problema o porque nos producen una satisfacción. Una pregunta evidente ante el mal hábito de la impuntualidad es por qué lo adquirimos si sabemos que actuar así no nos evita problemas, al contrario, los produce. Mi lógica es que las personas que practican la impuntualidad lo hacen porque en su momento les produjo alguna satisfacción. No sé si el goce consistía en llamar la atención con su llegada tardía; si consideran que a las personas importantes los demás deben esperarles; o si, retomando el ejemplo de la iglesia, la satisfacción consistiera en molestar a algún miembro de la familia que sabemos que se enoja si llegamos tarde.

La auto compasión.

Este es un hábito mental terrible y sumamente común en la mayoría de los países latinoamericanos. Los mexicanos poseemos toda una cultura al respecto. Por ser auto compasivos me refiero a tomar una actitud de víctimas, de "los pobrecitos", donde el sufrimiento, el sacrificio y la mala fortuna se toman como justificación para conformarse con cierto estilo de vida. Incluso me atrevo a pensar que bajo esta perspectiva, el sufrimiento se considera un mérito.

Pensemos en algunos casos al respecto. El hijo casado invita a su madre a que les acompañe en un viaje familiar a la playa. Si la mamá posee el hábito mental de la autocompasión respondería que agradece la invitación pero que no puede hacerlo para no convertirse en una carga; o argumentará que desea darles su espacio como matrimonio. En ese momento la madre no analiza que si su hijo le invita es porque realmente desea su compañía. Su mente no se ha enfocado aún en esta realidad porque ha respondido desde su hábito mental, el cual le dice que ella debe sacrificarse un poco antes de aceptar. Si por molestia, o como técnica de ataque, el hijo responde de inmediato que le parece bien su decisión; que harán el viaje sin ella, seguramente la mamá se descontrolará. Al suceder esto, su pensamiento podría ser: "¡Un momento!, se supone que yo me negaré por un tiempo para que ruegues y veas que para mí es difícil aceptar, pero debes insistir hasta que acepte acompañarles". No se requiere navegar muy profundo en los deseos de la señora para conocer que quiere ir y que le agrada la invitación; pero su hábito auto compasivo la tiene secuestrada.

Javier es una persona que constantemente se queja de su estado de salud. Es tan común para él responder que tiene algún padecimiento que hasta las conversaciones protocolarias en el teléfono están cargadas de pena y dolor:

—"Hola Javier, soy tu hermano, Rodolfo. ¿Cómo has estado?"

—"Ay, pues ya ves, ni para qué me quejo. Pero ya sabes, con un dolor en la espalda terrible; creo que pronto no podré cargar ni a mi alma".

—"No diga eso, me asustas. ¿Realmente te sientes así de mal?"

—"Claro. Mis últimos años han sido un verdadero martirio en cuanto a mi salud".

Al terminar la conversación Rodolfo se queda preocupado por el estado de salud de su hermano. Angustiado telefonea a Andrea, hermana de ambos, para comentarle respecto a la salud de Javier.

—"Hola Andrea, ¿cómo te va?"

—"Bien Rodolfo, me da gusto que me llames."

—"Fíjate que te hablo porque recién tuve una conversación telefónica con Javier y me dice que se siente muy mal de su espalda. Me quedé muy preocupado".

—"Ay Rodolfo, parece que no conoces a Javier, él siempre se está quejando de su salud; pero ya sabes que suelen ser mentiras, no te preocupes".

—"Tienes toda la razón, no entiendo por qué le sigo creyendo si cada vez que converso con él tiene un mal que le perturba, pero siempre que le veo se encuentra bien".

—"Ya ves cómo es él. Acostúmbrate a ello y deja de angustiarte, quejarse es su costumbre".

Antes casos como éstos uno se pregunta qué problema resuelve o qué satisfacción puede producir la auto compasión para hacerla un hábito. Por lo general, lo que la auto compasión genera es ganar la atención de los seres queridos. Al principio funciona excelentemente. Cuando los parientes se enteran que su familiar se encuentra enfermo le visitan, le llevan un presente, etc. Eso produce la gran satisfacción de sentirse apreciado. El problema es que después de un tiempo de aplicar este hábito las personas se dan cuenta de que no es algo real y dejan de prestarnos la atención que buscábamos; pero como ya se ha convertido en un hábito lo seguimos practicando aunque no obtengamos el resultado.

En la cultura mexicana ha existido una verdadera exaltación de la actitud de víctima. Para ello baste analizar ligeramente los contenidos de las historias representadas en las películas de la considerada "época dorada del cine mexicano" (1935-1958). En este lapso cinematográfico los héroes y heroínas eran personas que sufrían mucho; entre más lo hicieran, más heróico se consideraba su comportamiento. Como ejemplo pensemos en la secuela fílmica protagonizada por Pedro Infante iniciada con la película "Nosotros los pobres". En este verdadero elogio de la miseria y la pobreza, nuestro héroe es "Pepe el Toro", un carpintero cantador, apuesto, honrado y digno que a lo largo de la historia vive infortunio tras infortunio: es metido a la cárcel injustamente; su hija adoptiva le abandona para ir tras la fortuna de su irresponsable padre biológico; su hijo (Torito) muere quemado cuando unos rufianes le queman su taller de carpintería; su mujer pierde la razón a partir de este evento. Entre más sufre, mas compasión, cariño y admiración sentimos por él. Conforme Pepe el Toro aumenta su nivel de sufrimiento mayor es su grado de valentía, heroísmo y aceptación por parte de los espectadores.

En mi casa, mi hija mayor ha establecido una manera de poner al descubierto cuando alguno de los miembros de la familia toma una actitud auto compasiva y de sufrimiento. Para ello emula una de las escenas más dramáticas de la película citada, en la que el protagonista, con su hijo calcinado en sus brazos, grita voz en cuello: "¡Torito, Torito!". Así, cada vez que alguien de nosotros empieza a practicar una actitud de "soy el pobrecito", Mariana simplemente nos dice: "¡Torito, Torito!". Con ello, de manera graciosa pone en evidencia que estamos actuando de una manera que no necesitamos aplicar más. Reconozco que hay ocasiones en que la vida nos trata con dureza; sin embargo, es muy diferente atravesar momentos difíciles a adquirir el hábito de la auto compasión. Recordemos que esta costumbre sólo logra atraer la atención de los demás las primeras veces, pero después pierde su efecto.

El pesimismo.

El pesimismo implica que ante cada información nos enfocaremos en las posibilidades negativas de ella. De manera automática el pensamiento que surge ante cualquier reto, invitación, idea creativa u oportunidad, es que algo saldrá mal, o por lo menos, que no producirá algo bueno. Este terrible hábito mental desalienta constantemente a quien lo tiene y a quienes le rodean. Consiste en interpretar cada situación desde una perspectiva negativa. Si llueve se considera un problema porque dificulta la posibilidad de pasear al aire libre; si no llueve la situación es terrible porque puede provocarse una sequía. El pesimismo no es nuevo, ya los antiguos pensadores griegos se habían encargado de exaltarlo por medio de una de sus corrientes filosóficas. Citemos, por ejemplo un fragmento de la leyenda mitológica de Sileno: "Es imposible para los hombres que les suceda la mejor de las cosas, ni que puedan compartir la naturaleza de lo que es mejor. Por esto es lo mejor, para todos los hombres y mujeres, no nacer; y lo segundo después de esto es, una vez nacidos, morir tan rápido como se pueda." Vaya, pareciera que quien escribió esto prefería morir, aunque curiosamente se atrevió a llegar a la edad adulta para redactarlo, señal de que no le atrajo mucho la idea del suicidio. Sin embargo el pesimismo es así, no sólo nos lleva a pensar en lo negativo; también, como todo hábito, produce sentimientos y posteriormente, acción.

Por lo general las respuestas emocionales del pesimismo son el desánimo, la apatía, la tristeza y la desesperanza. Finalmente la acción más común de quiénes poseen este hábito mental es una de las más inconvenientes acciones del ser humano, la queja. Quejarse es un hábito de pensamiento que sólo consigue en el mediano y largo plazo que las personas que nos rodean eviten estar con nosotros. Es como un repelente de humanos cuerdos. La queja es uno de los principales destructores de la felicidad humana, pues se basa en expresar que lo relevante de la vida es negativo. Así, el lamento sólo suele atraer a otros que también se identifican con este tipo de pensamientos. Este es un hábito mental que quiénes lo tienen lo justifican bajo el pretexto de afirmar que son realistas. Si realmente fueran realistas ante un hecho, solamente lo describirían sin tomar partido alguno y no lo interpretarían, pues al hacerlo están dejando de ser realistas. Además, si quisieran expresar su opinión sobre algún evento de manera realista deberían al menos comentar tanto las posibilidades o consecuencias positivas como las negativas.

Recuerdo un matrimonio vecino con el que mi esposa y yo solíamos reunirnos. Cada vez que conversábamos el esposo expulsaba de su boca una letanía de lamentos. Comentaba todas las noticias de la prensa desde una perspectiva negativa. Incluso cuando surgía alguna buena noticia, automáticamente afirmaba que él no creía que fuera verdad. Llegó a tal grado su pesimismo que un día le pedí a Gaby que dejáramos de visitarles al menos por un tiempo. Estar con ellos era realmente desalentador. En aquel tiempo yo pasaba muchas horas diarias como consejero familiar recibiendo personas y matrimonios. En todos los casos que recibía sólo escuchaba problemas (jamás recibí a una persona que solicitara consejo para platicarme sobre lo feliz que estaba y lo bien que le iba en la vida). Aunque siempre he sido poco aprehensivo y desarrollé cierta habilidad para no cargarme con las penas de los pacientes, no me era nada grato salir de escuchar problemas todo el día para después descansar oyendo a una persona para la que todo en la vida era una porquería. La soledad suele ser la consecuencia más común de quienes practican el pesimismo.

La auto percepción negativa.

Este es un hábito de pensamiento del que definitivamente debemos despojarnos en caso de que ya lo tengamos. Daña seriamente nuestro estado emocional y nos limita en cuanto a los resultados que podemos obtener en la vida. Por lo general el auto devaluarnos fue generado por escuchar durante nuestra niñez juicios negativos sobre nuestra persona: "eres un bueno para nada"; "estás muy fea"; "tú no sirves para los estudios"; "lástima que no eres tan inteligente como tu prima"; "definitivamente tú no aprendes"; "no sabes cómo hacer las cosas"; "en lugar de cerebro tienes un pequeño maní"; "ni modo hijo, unos nacen con estrella, pero tu naciste estrellado" y tantos etcéteras como frases terribles que pueden ser expresadas por alguien con autoridad, generalmente los padres.

Estoy conciente de que la intención de las personas que emiten ese tipo de juicios no es lastimar a quien se lo dicen; suelen ser ignorantes sobre las terribles repercusiones que esto puede producir. Sin embargo, recordemos que cuando algo se repite constantemente, nuestro cerebro tiende a convertirlo en un hábito. Recuerdo unas sesiones de consejería en las que mi esposa y yo intentamos ayudar a Josefina, una mujer de alrededor de 35 años. Mujer atractiva del tipo que no pasa desapercibida al estar presente en alguna reunión; sin embargo, cuando nos visitó por vez primera, estaba convencida de dos cosas respecto a ella misma, que era fea y que no era capaz de realizar alguna actividad productiva con éxito. Había escuchado tantas veces de labios de su madre que era deslucida y tonta que había terminado creyéndolo y convirtiéndolo en hábito. Cada vez que alguien, incluyendo su marido, le decía que era bella, Josefina pensaba que era un acto de compasión, mas que una realidad. Cuando le aparecían oportunidades de trabajo lo primero que pensaba era que seguramente no se lo darían a ella, o que en caso de que así fuera, simplemente lo haría tan mal que le despedirían unos días después de haberla contratado. Así opera este hábito.

Las culturas que vivieron procesos de esclavitud y conquista, como las africanas y latinoamericanas, suelen tener una tendencia a menospreciarse. Este fenómeno lo he experimentado a lo largo de los años que he viajado y trabajado en diferentes países. Con mis compatriotas que viven en Estados Unidos de América he constatado que también hay un temor respecto a su capacidad para escalar el nivel de puestos y oportunidades laborales que se les presentan. Estoy convencido que en la mayoría de los casos esto no se debe a que carezcan de aptitudes o capacidad, sino a que simplemente se consideran incapaces de hacerlo.

En una ocasión pedí a un grupo de personas que eligieran en qué restaurante comerían en caso de que se encontraran en un viaje de trabajo que ellos mismos patrocinaran. Les solicité que fueran totalmente sinceras y que al ver las fotografías de dos establecimientos que les iba a mostrar, decidieran en cuál tendrían sus alimentos. Les proyecté las imágenes de dos restaurantes. Uno de ellos se veía bastante más limpio y elegante que el otro, sin llegar a ser extremadamente lujoso. Su ambiente era grato. El otro era más parecido a una cafetería común, pero con cierto descuido en sus instalaciones. La mayoría eligió el segundo. La razón principal fue el precio de los alimentos. Lo sorprendente es que nunca mencioné cuál era el costo de éstos.

Lo que estaba sucediendo era que, sin constatar siquiera el valor del menú, ellos se identificaban automáticamente con aquellas cualidades que asociaban más con su capacidad económica. ¿A qué se debe que en ocasiones actuemos de esa manera sin siquiera atrevernos a revisar los menús de ambos lugares antes de decidir en cuál comer? Les cuestioné qué pasaría si la diferencia en precio fuera mínima. Respondieron que simplemente comerían en la primera alternativa. El verdadero meollo del asunto es cuáles son las asociaciones mentales inmediatas respecto al valor que creemos que tiene el lugar y el valor que nos damos nosotros. En este caso se trataba de un restaurante, pero lo mismo se aplica para aspirar a conocer a cierta persona, buscar un mejor empleo, poner un negocio propio, adquirir o rentar una casa en cierta zona, etc.

Recuerdo uno de los cambios de hogar que hemos vivido como familia. Buscamos casas por diferentes colonias de la ciudad. Había una zona que nos gustaba mucho, pero que por su apariencia nos parecía inalcanzable para nuestra economía. Ni siquiera valía la pena invertir tiempo en ir a preguntar, pues estábamos seguros que lo único que nos produciría sería desaliento. Por cuestiones ajenas a nuestros propósitos nos enteramos del costo de las rentas en ese lugar. Para nuestra sorpresa la diferencia del precio respecto a las que nosotros estábamos visitando era mínima y las ventajas en cuanto a seguridad, comodidad e instalaciones resultaba enorme. Nos mudamos allí. Nuestros hábitos mentales respecto a en qué lugar correspondemos y en cuál no, nos estaba limitando para abrirnos a más y mejores oportunidades.

Un ejemplo que me gusta presentar en mis seminarios cuando expongo este tema es el siguiente. Muestro a la audiencia un billete de doscientos pesos mexicanos. En él aparece la imagen de la poetisa y religiosa Sor Juana Inés de la Cruz. Al extenderlo pregunto a la audiencia, ¿cuánto vale este billete? Al unísono responden: "doscientos pesos". Ante el asombro de los asistentes estrujo el papel en mi mano y les repito la pregunta. Ellos responden nuevamente "doscientos pesos". Entonces tomo el papel arrugado, lo tiro al piso y bailo sobre él. Vuelvo a tomar el billete, lo extiendo y les cuestiono otra vez sobre su valor. Por tercera vez contestan que es el mismo, doscientos pesos. Entonces aparece la enseñanza: Este billete vale lo mismo antes y después de haber sido maltratado. Cómo le va en la vida no determina su precio. No importa que a Sor Juana se le haya llenado el rostro de arrugas, su valor es el mismo (¿leyeron esto, mujeres?).

Su verdadero precio se sostiene porque éste no depende de cómo le tratan los demás, ni si otros lo desprecian. Su valor real descansa en el valor que le puso quien le creó, no quienes le usan. Con la gente sucede lo mismo. Somos de gran valor por el simple hecho de que Dios nos creó. Cómo nos vaya a lo largo de la vida o cómo nos hayan tratado nuestros seres queridos no altera nuestro valor. El problema es que nos confundimos y terminamos creyendo los comentarios negativos que en repetidas ocasiones escuchamos sobre nosotros. O concluimos que porque algunas personas nos han tratado mal significa que somos inferiores, indeseables o defectuosos. Finalmente hacemos de estas ideas un hábito de pensamiento con el que nos despreciamos. Nos acostumbramos a subvaluarnos inconcientemente cuando se trata de medir nuestro valor. Es mi esperanza y deseo que al terminar este libro aquellas personas que padezcan este vicio sean totalmente libres de él, pues al hacerlo se abrirá una nueva y gran perspectiva de oportunidades y satisfacción.

Resumen del capítulo.

A lo largo del capítulo hemos estudiado que a los hábitos que nos producen consecuencias negativas les llamamos vicios y a los que nos generan beneficios les decimos virtudes. También analizamos que podemos catalogar a los hábitos en los de acción y los de pensamiento. Los primeros son aquéllos en los que nuestra primera respuesta condicionada ante alguna información o estímulo tiene que ver con realizar alguna actividad. Tal es el caso cuando conducimos un automóvil o la rutina que seguimos al tomar una ducha. Por su parte los hábitos de pensamientos se caracterizan porque la reacción primaria no es una acción, sino un pensamiento. Éste nos produce emociones y finalmente acciones; pero lo que les hace diferentes es que, a diferencia de los otros hábitos, aquí hemos asociado los detonadores con ideas, no con ejecutar algo. Como ejemplos tenemos el pesimismo, la auto compasión, la impuntualidad, etc. Este tipo de costumbres y rutinas mentales tienen gran peso en nuestras actitudes, auto estima y resultados que alcanzamos en la vida.

CAPÍTULO 3.

Cambiar los hábitos de manera conciente.

El éxito no se logra sólo con cualidades especiales.
Es sobre todo un trabajo de constancia,
de método y de organización.
—J.P. Sergent

*D*e nada servirá que comprendamos a fondo que son los hábitos si no tenemos la oportunidad de modificarlos. La buena noticia es que es posible modificar nuestros hábitos, renunciar a algunos que tenemos y adquirir otros nuevos. Para lograrlo es importante seguir un proceso específico. Una referencia obligada cuando hablamos de este tema es el conocido y excelente libro del Dr. Stephen R. Covey: " Los siete hábitos de la gente altamente efectiva". En él el reconocido filósofo pragmático del siglo XX expone un modelo de tres elementos para la adquisición de nuevos hábitos.

En su obra el Dr. Covey se concentra en detalle en la propuesta de siete hábitos específicos. Por lo mismo se enfoca muy poco en cómo operan los hábitos en las personas; sin embargo su modelo tridimensional nos sirve de base para analizar el proceso de adquisición de hábitos. Define a los hábitos como la intersección de conocimiento, capacidad y deseo. El conocimiento para él es saber *qué hacer y por qué hacerlo*, la capacidad es el *cómo hacerlo*. Y el deseo es la motivación, el *querer hacer*. Así un hábito se formará cuando unimos estos tres elementos. Puesto en palabras sencillas, conocimiento es saber qué debería hacer y por qué. Por ejemplo, tal vez yo sepa que debería cuidar mi alimentación e incluso sé por qué debería comer sanamente. Tengo el conocimiento de ello. Pero esto no es suficiente para que adquiera el hábito de la sana alimentación. Además de tener conocimiento requiero de la capacidad para hacerlo, es decir también necesito saber cómo hacerlo, aprender a leer las etiquetas de nutrición que traen los alimentos; saber cómo cocinar con soya, etc. El tercer y último factor fundamental en el esquema de Covey es desear adoptar ese hábito, pues si sé que debo hacerlo y aprendo cómo, pero no quiero hacerlo, de nada scrvirá. Parece sencillo saber por qué debo desarrollar un hábito, entender cómo debo adquirirlo y querer hacerlo. Según esta teoría cuando estos tres son integrados por una persona se produce la magia que genera un nuevo hábito.

El reto de adquirir hábitos según Covey.

Desde 1996 he sido un estudioso de las propuestas del Dr. Covey. Admiro su capacidad de síntesis y su habilidad para transmitir de manera sencilla conceptos y realidades complejas. Al preparar mis propios materiales para los programas de desarrollo de Efectividad Humana[3], retomé su propuesta sobre la formación de hábitos. Así, cuando diseñaba cualquier sesión o programa de entrenamiento me aseguraba de cubrir las tres dimensiones: proveer el conocimiento, mostrar el cómo para cubrir el aspecto de la capacidad y verificar que los asistentes realmente desearan adoptar las herramientas que les ofrecía. A la hora de dar nuestros talleres y programas de entrenamiento sobre trabajo en equipo, comunicación efectiva, liderazgo y temas similares, los participantes quedaban muy contentos con el trabajo que realizábamos. En las conversaciones con ellos y con sus jefes recibíamos retroalimentación sumamente positiva sobre los entrenamientos. Afirmaban que la exposición era clara, la participación y los ejercicios brillantes, los conceptos hacían mucho sentido y afirmaban que realmente les habían ayudado. Sin embargo, a pesar de ello con tristeza veía que después de unas semanas sólo una parte de los participantes realmente vivían a plenitud lo que habíamos expuesto. El resto, a pesar de que les habían agradado los temas y los consideraban viables y necesarios para mejorar su desempeño, los adoptaban parcialmente o dejaban de practicarlo, les faltaba aplicación.

A raíz de esto intenté aprender más de las ideas de Covey y de otros autores. A finales de los noventa me cer-

---

3. Efectividad Humana es el nombre de la empresa de desarrollo organizacional dirigida por Rafael Ayala.

tifiqué como facilitador del programa de entrenamiento de los siete hábitos. El entrenamiento fue enriquecedor y desde ese momento empecé a facilitar este material a la totalidad de empleados de un par de empresas. Fue un proceso largo, detallado y apegado a la logística diseñada por la empresa del creador de los materiales. Definitivamente el entrenamiento fue muy bien recibido por los empleados de estas organizaciones, pero nuevamente descubrí que en el mediano plazo sucedía lo mismo que con mis propios materiales, sólo unos cuantos continuaban aplicando los conceptos. También observé que cuando esos pocos eran personas de autoridad (directores o gerentes) los resultados eran más sólidos y duraderos. Con todo esto en mente concluí que al modelo de cambio de hábitos de Stephen Covey le faltaba una pieza; una acción que lograra completar el proceso para garantizar la adquisición de los hábitos.

Estoy convencido que esto de ninguna manera significa que los conceptos de Covey sean erróneos. Su lógica, tino y claridad de ideas muestra claramente que lo que propone es correcto y hace sentido. Todas las personas que conozco que han leído su obra coinciden en ello. Su material se ha convertido en un referente obligado prácticamente de todo el mundo. Sin embargo, después de mis experiencias en el medio del desarrollo organizacional, estaba seguro que había que encontrar un elemento más para la fórmula de adquisición de hábitos. También tenía la certeza que esta pieza del rompecabezas estaba directamente relacionada con la aplicación, con la práctica.

La última pieza del rompecabezas.

Encontrar esta pieza se convirtió en mi reto personal. Si identificaba qué era lo que faltaba para realmente lograr que la gente adquiriera un nuevo hábito, podríamos tener un impacto mucho más efectivo en los seminarios y talleres que los facilitadores de Efectividad Humana y yo impartimos en empresas y organizaciones. Este fue uno de mis principales retos iniciando el siglo XXI. Además de adentrarme en lecturas sobre los procesos de aprendizaje, me enfoqué en observar si encontraba algún grupo social en el que pudiera observar verdaderos cambios de conducta a través de la modificación de hábitos. Hallé tres tipos de organizaciones en las que realmente se realiza una modificación en las costumbres y conductas de la gente de forma relativamente rápida. La primera de ellas son los grupos de auto ayuda conocidos como AA (Alcohólicos Anónimos). Gracias a estas comunidades de apoyo mutuo, muchísimas personas se han desecho del alcoholismo. A pesar de ser uno de los vicios reconocidos como difíciles de dejar, existen multitud de testimonios de personas que han vencido este hábito gracias a AA.

El segundo tipo de organizaciones son las congregaciones cristianas. En estas iglesias modernas es sumamente común encontrar personas que han cambiado radicalmente su estilo de vida, dejando atrás diferentes hábitos. Un punto interesante de estas comunidades es que no sólo sus feligreses suelen dejar vicios como el alcohol, tabaco y drogas. Su influencia y resultados incluso muestran cambio en los hábitos de pensamiento, no sólo en los de acción. Es común encontrar en estos grupos, personas que adquieren rápidamente nuevos hábitos, algunos de los cuales pueden incluso ser virtudes. La tercera estructura social que identifiqué son algunos grupos de comercialización de productos a través de la venta directa o multinivel. En este tipo de empresas, por su naturaleza tan especial, se logra que la mayoría de sus distribuidores adopten cierto tipo de hábitos y dejen de lado otros más. En una de estas empresas, Amway, descubrí que la inmensa mayoría de sus miembros, a pesar de profesar distintas religiones, tiende a dejar de tomar alcohol y fumar y, por lo general, desarrollan el hábito de la lectura, el ahorro y el servicio.

Encontrar estas instituciones me brindó gran satisfacción. De hecho tenía tiempo de conocer a las tres, sin embargo nunca las había asociado desde la perspectiva de la modificación de hábitos. Ahora lo que restaba era encontrar cuáles eran las constantes que fueran comunes a las tres para relacionarlas con el proceso de modificación de hábitos. Al parecer, finalmente encontraría la pieza final del rompecabezas, al menos ahora contaba con la "caja" dentro de la cual se encontraba este trozo. Me encontraba cerca de completar la imagen total.

Los cuatro elementos para el cambio de hábitos.

Después de mucha observación y conocer los mecanismos de operación de los tres grupos, descubrí cuatro constantes, cuatro elementos fundamentales practicados en ellos. Tres de ellos eran similares a los propuestos por Covey. Pero el cuarto era la última pieza del rompecabezas. Quedé impresionado al verificar que siguiendo estos cuatro pasos se producía la adquisición de nuevos hábitos. ¡Eureka, los tenía! Al entender esto me sentí como paleontólogo ante un nuevo descubrimiento de fósiles. Sé que para la mayoría de las personas mi hallazgo no tenía gran trascendencia e incluso les parecerá lógica simple, sin embargo, para mí fue una satisfacción especial. Lo que más me sorprendió fue que el último paso era más sencillo y evidente de lo que pensaba. De hecho, al entenderlo sentí cierta vergüenza por no haberlo identificado antes. ¡Era obvio, simple sentido común!

De estos elementos surgió el modelo de cambio de hábitos que propongo y que desde entonces aplicamos en todos los programas de Efectividad Humana e incluso en mis seminarios y conferencias. Cada vez que voy a diseñar una presentación, taller o exposición, lo hago con estos cuatro puntos en mente. Si logro transmitirlos correctamente, la posibilidad de que la audiencia obtenga un cambio de sus costumbres es alta.

Para que una persona adquiera hábitos de manera conciente requiere seguir el siguiente proceso:

1. **Tomar conciencia.** ¿Puede cambiar alguien si no sabe que necesita hacerlo? Tomar conciencia implica reconocer en qué áreas no estamos obteniendo los

resultados que quisiéramos; identificar y aceptar la realidad que estamos viviendo. Aprender a ver de manera objetiva nuestras áreas de oportunidad, nuestras debilidades. Sin ello será imposible iniciar un verdadero proceso de cambio.

2. **Motivación.** Como afirma Covey, resultará imposible cambiar si no queremos hacerlo. Para ello es necesario tener una razón importante que nos inspire a hacerlo. En este sentido la motivación descansa en tener un propósito profundo, deseos, sueños. Si con la conciencia ya sabemos dónde estamos, ahora requerimos un lugar a donde llegar. Este es un mecanismo de motivación interno que va más allá de un chispazo emocional.

3. **Tener un Método.** Tal vez sabemos qué debemos cambiar y conocemos cómo queremos vivir o qué metas alcanzar; pero requerimos de una técnica o metodología a seguir para cerrar esa brecha. Son los pasos a dar. Este es el conocido "know-how"[4] de todo proceso.

4. **Repetición** del método. Siempre hemos sabido que todo hábito se adquiere por repetición. Exponerlo no es nada nuevo, lo que produce valor es que lo re-

---

4. Término utilizado en idioma inglés para referirse a saber cómo se hacen las cosas correctamente para lograr un objetivo determinado.

lacionemos con los tres factores anteriores. Así, este paso implica asegurar que se repetirá el método hasta que la práctica convierta esta acción en un nuevo hábito.

Modelo de formación de un hábito

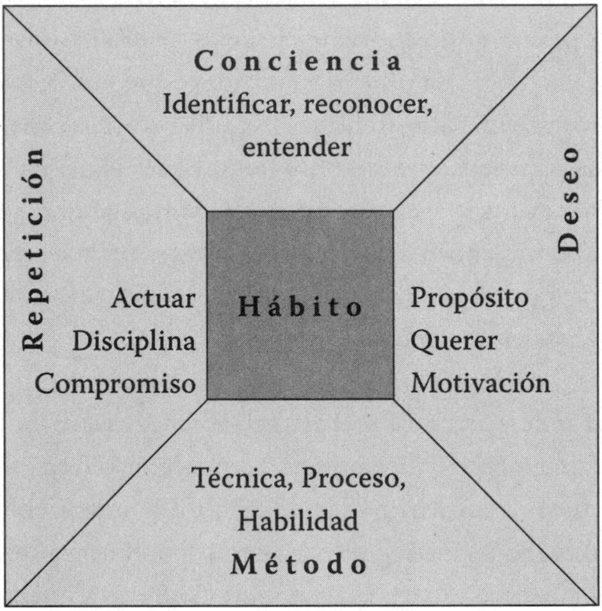

Conciencia
Identificar, reconocer, entender

Repetición

Deseo

Actuar
Disciplina
Compromiso

Hábito

Propósito
Querer
Motivación

Técnica, Proceso, Habilidad
Método

Fig. 3.1 Modelo de formación de formación de hábitos.
Conciencia, deseo, método y repetición.

Aplicar el modelo en nuestras vidas.

Aventurarnos en el reto de dejar algunas rutinas para desarrollar otras que nos favorezcan es en realidad un viaje de autoconocimiento, ya que en estos casos el enemigo verdadero somos nosotros mismos. Los hábitos no tienen existencia sin la persona. De hecho esta relación funciona exactamente al revés, nosotros les damos espacio y vida al empezar a practicarlos. Seamos sinceros, el desafío está en nosotros no en los hábitos. No necesitamos pelear contra los hábitos, requerimos dirigir la atención y esfuerzo hacia adentro, hacia nuestra persona. Los hábitos no tienen vida propia, no son seres misteriosos que se pasean buscando en quien encarnar. No, nosotros los desarrollamos, son fruto de nuestra propia hechura. Si produjimos costumbres que nos beneficien hemos sido excelentes creadores, pero si es al contrario, nos convertimos en doctores Frankestein, quedando a merced de nuestra propia creación. En este sentido somos nuestro peor contrincante. Reconocer esta sencilla verdad y atrevernos a observar con transparencia cómo nos comportamos, es la clave.

En lo que resta de esta obra recorreremos cada uno de los factores que contribuyen a la formación de hábitos. De aquí en adelante iniciamos la parte práctica. Iremos paso a paso siguiendo el proceso de cambio. Aplicaremos diferentes ejercicios y cuestionarios que servirán de herramienta para desarrollar nuevos hábitos. El punto trascendental de esto será que sea sincero consigo mismo. Recuerde que el reto es vencernos a nosotros mismos. No ceda a la tentación de aplicar las ideas en alguien más. Aproveche esta oportunidad y aplíquela en usted, en sus propios hábitos.

Le invito a tomar una actitud abierta al cambio; atrévase a reconocer cuáles son sus puntos débiles para convertirlos en áreas de oportunidad y crecimiento. Tómese el tiempo para reflexionar y no responda cada punto a la ligera. Si realmente anhela llevar su vida a un mejor nivel, apéguese a las indicaciones de cada ejercicio. Recuerde que cuando cambiamos los hábitos que tenemos, prácticamente modificamos nuestra vida. Hoy se abre la posibilidad de deshacerse de vicios y de adquirir virtudes y costumbres que le permitan mejorar su calidad de vida, relaciones humanas, salud, economía y lo que desee.

Una advertencia importante es que en ocasiones el proceso de cambio puede ser incómodo o incluso doloroso. No se trata de que tengamos que sufrir, pero la realidad es que a algunas personas les cuesta reconocer que han estado actuando mal en alguna área de su vida. Es un sutil golpe al orgullo que se niega a reconocer que se ha equivocado. Ni modo, aprender y crecer duele, pero las satisfacciones por cambiar son maravillosas. Ante ellas el dolor causado se vuelve insignificante. Relájese. Vea este proceso como una maravillosa oportunidad para abrir un nuevo y mejor capítulo en su historia personal. Le aseguro que si se empeña en hacerlo no se arrepentirá. Le animo a continuar con entusiasmo y disposición.

Capítulo 4.

Tomar conciencia.

La práctica debería ser producto de
la reflexión, no al contrario.
—Herman Hesse

*L*a parte inicial del modelo de cambio es ser conscientes de los hábitos que tenemos y reconocer qué beneficios nos han producido o que perjuicios hemos obtenido por no controlar nuestros comportamientos. Aunque los cuatros pasos del modelo son fundamentales éste lo es en especial puesto que es el punto de partida. De trabajarlo correctamente dependerá que modifiquemos nuestros resultados en las áreas que más lo necesitamos. Entonces nuestro eje inicial es entender claramente qué significa, para nuestros fines, conciencia.

La conciencia es un concepto que hemos mitificado y sobre espiritualizado. Al escuchar esta palabra muchos imaginamos a una persona vestida de blanco practicando yoga o en posición de flor de loto. Hemos asignado a esta palabra un sentido casi esotérico. Sin embargo el asunto es más sencillo. La conciencia no exige mega profundidad interior, horas de meditación trascendental o flagelos, veladoras, ayuno y ejercicios de faquir. Tener conciencia, hablando llanamente, es darse cuenta de lo que pasa alrededor nuestro y en nosotros mismos.

Cuando una persona, que vive en una ciudad con escasez de agua, lava su automóvil con la manguera desperdiciando litros del líquido, está actuando inconcientemente. ¿No *se da cuenta* que si hace eso perjudica a la comunidad y a sí mismo? Resultaría entendible que al verlo actuar así, uno de sus vecinos le reclame y le juzgue como una persona inconciente. Tener conciencia entonces no es saber que algo está mal, pues seguramente el despilfarrador no es ignorante al respecto. Su problema no es ignorancia. Él sabe perfectamente que en su ciudad hay carestía; seguramente ha escuchado anuncios en los que se recomienda cuidar el agua y lavar el auto utilizando solamente un balde con agua. Su verdadero problema es de conciencia. Aunque sabe del problema, realmente no lo ha entendido. No ha dimensionado las consecuencias de sus actos y de lo que implica que una ciudad entera carezca del vital líquido. Escuchó pero no entendió, lo sabe pero no lo ha comprendido. Incluso este individuo podría tener una conversación de sobre mesa en la que comente lo preocupante que está la situación en la ciudad respecto al agua, pero a la hora de actuar demuestra su inconciencia.

Ser conciente es más que saber algo, es hacerlo propio, comprender claramente qué es lo que está sucediendo y las consecuencias de actos relacionados con esa situación. Para crear conciencia es indispensable desarrollar nuestra habilidad de observadores, pero no solamente de unos observadores que describan la realidad que presencian, sino de unos que puedan asociar lo que ven, con sus implicaciones y sus causas; principalmente concentrándose en aquéllas causas que radiquen en sí mismo. Ser concientes del medio o de nuestra propia persona implica que además de ver comprendamos. Una muralla que impide desarrollar la conciencia es que la observación es una cualidad que solemos aplicar fácilmente hacia fuera, pero nos cuesta trabajo hacerlo hacia dentro, hacia nosotros mismos. Describimos con un mayor grado de objetividad lo que miramos en nuestro alrededor y en la vida de otros, pero no nos resulta tan sencillo mantener esa objetividad cuando se trata de nuestra vida. En la medida en que nos volvemos mejores auto observadores descubriremos cosas sorprendentes respecto a nuestras emociones, actitudes y hábitos. Al hacerlo conoceremos la verdad y como estableció Jesús de Nazaret, conocer la verdad nos hará libres.

Ser concientes del contexto.

Afirmé que la conciencia consiste en darnos cuenta de lo que sucede alrededor nuestro y en nosotros. Revisemos pues la primera de estas dos condiciones. Reconocer el entorno es fundamental, no sólo para el proceso de nuestros hábitos, sino para desenvolvernos exitosamente en todo lo que hacemos. Quien no está conciente de lo que pasa en su contexto es similar al que lee una novela saltándose párrafos o páginas completas. Simplemente no comprenderemos con precisión que está pasando en la historia. Entender el medio durante una conversación significa, por ejemplo, que al platicar identifiquemos si el interlocutor se cansó de la charla; darnos cuenta si el tema que tocamos le incomoda o agrada. Una persona carente de esta sensibilidad habla sin detenerse, sin considerar al otro. Pareciera que su único interés fuera desfogar información en palabras por minuto sin detenerse a verificar cómo lo está percibiendo su oyente. En una conversación es importante reconocer si quien nos escucha tiene prisa, si el lugar y el tiempo son los adecuados para tener esa charla. No poner atención en el entorno produce percepciones engañosas y por lo general, resultados pobres o negativos.

Felipe solicitó a su subordinado, Gerardo, que realizara varios reportes y tareas para antes del fin de semana. Mientras lo hacía no se percató de la reacciones de su colaborador. Constantemente Gerardo respiraba profundo y fruncía el ceño, especialmente cuando su jefe mencionaba la fecha de las entregas. Con un poco de observación no sería difícil enterarse de que el empleado se encontraba bajo presión e inconforme con la solicitud de su jefe. Felipe no le dio oportunidad de exponer si para él era viable cumplir a tiempo con esos encargos, simplemente dio la orden y regresó a su oficina confiando que Gerardo cumpliría con todo sin problema. Seguramente Felipe sí percibió cierto grado de insatisfacción en su compañero; sin embargo, debido a su inconciencia, no se dio cuenta que, en último término, es él mismo quien sale perjudicado si Gerardo no logra concluir el trabajo en el lapso acordado. Vio el rostro inquieto de su subordinado, pero prefirió no darse cuenta. Escondió su rostro como avestruz imaginando que al hacerlo la realidad se modificaría y todo saldría bien. Inconciencia.

Quizás el ejemplo le parece exagerado, pero acciones tan sencillas como ésta suelen generar malentendidos, incumplimientos y por lo tanto, conflictos. El punto importante para lo que estamos tratando no es el conflicto latente, es la inconciencia de Felipe. Él podrá tener todas las razones para argumentar que su trabajo no consiste en pensar si su gente tiene o no el tiempo para realizar sus responsabilidades; que es absurdo que ante cada solicitud que haga a sus subordinados deba revisar el entorno. Tal vez tenga razón, sin embargo lo que deseo remarcar es lo reducido de su percepción-entendimiento del medio. Felipe no está acostumbrado a ser un observador conciente del contexto. A pesar de qué ve cosas, no las toma en cuenta, no se cuestiona cómo afectarán los resultados. Eso lo hace una persona menos conciente y le pone en desventaja ante los hechos que enfrenta cada día.

Conciencia del contexto en el medio laboral.

En el trabajo sentir el contexto implica más cosas que solamente leer el estado emocional y mental de los compañeros; exige tener claras las prioridades de la empresa; entender qué es lo que requiere de mí la compañía, mis jefes y colegas. También incluye entender la realidad y necesidades de los clientes y proveedores. Incluso conocer qué está pasando con la competencia y el mercado. Esto puede parecer demasiado, pero no es así. Los seres humanos tenemos la capacidad para poner atención en todos estos asuntos y muchos más.

Un factor que afecta nuestra habilidad para poner más atención a lo que sucede a nuestro alrededor es que nos concentramos en tan sólo un área. Cuando lo hacemos dejamos de lado otros puntos que también son importantes, pero que seguramente no están bajo nuestra responsabilidad directa. Un claro ejemplo de esto se suele dar en las empresas grandes. Cada persona es responsable de una actividad o de una parte del proceso y se olvida de todo lo demás. Al actuar así terminamos creyendo que si hacemos bien lo que nos corresponde todo saldrá bien. Como si lo que nosotros hacemos no afectara a otros departamentos. En otras palabras, la sobre especialización laboral tiene como riesgo la pérdida del contexto.

He conocido fábricas en la que los gerentes de las diferentes áreas ignoran lo que pasa en los departamentos de sus colegas y se concentran exclusivamente en hacer bien su trabajo. Incluso e impartido talleres de efectividad en los que dichos individuos defienden su departamento, gente y objetivos como si fueran la razón de existir de la organización. Todos ellos son gente inteligente, han llegado hasta el puesto que ejercen porque sus resultados han sido muy buenos; pero se olvidan que en la medida que ascienden en la escalera de la responsabilidad empresarial es mayor el conocimiento del contexto que deben tener.

Observar el contexto es tener una idea de todo lo que está sucediendo y de cómo cada acción mía y de los demás impacta en otras áreas. Peter Senge explica esta necesidad organizacional de "ver la película completa" en su brillante obra "La quinta disciplina", en la que expone el pensamiento sistémico; que dicho de manera sencilla es *darnos cuenta* que dentro de un sistema no existe ningún acto aislado. Todo lo que hacemos y dejamos de hacer tiene repercusiones mucho más allá de lo que tenemos identificado como nuestro rango de influencia.

Pensemos por ejemplo en un departamento contable cuyos miembros desean hacer su trabajo lo mejor posible. Para ello obligan a todo mundo a apegarse a sus presupuestos e incluso a reducir los gastos al máximo para presentar mejores números al consejo directivo. ¡Qué bien, suena maravilloso! Sin embargo, no se han dado cuenta que al hacer esto están afectando a la misma organización que desean servir. Tomar una decisión así afectará varias actividades y procesos. En realidad el problema no es que eso suceda, sino que decidieron sin considerar esas repercusiones y, les guste o no, van a aparecer.

La restricción extrema de gastos menguará la calidad de los productos o el tiempo que tomará tenerlos listos para embarque; pues para generar calidad es indispensable comprar cierto tipo de materias primas y procesos que producen gastos. La mejora continua tiene un costo. Restringir al máximo los egresos repercutirá sin duda en otras consecuencias, generalmente, como mencioné, relacionadas con calidad, producción y servicio al cliente. Si el área de calidad, por su parte, desea llevar sus estándares a niveles más allá de los excelentes, afectará a producción, pues no aceptará piezas producidas que antes sí aprobaba. En su afán de mejorar la calidad establece parámetros más altos. Su deseo es que únicamente salgan al mercado productos perfectos. Desean que su compañía tenga cero devoluciones de mercancía. Qué bien ¿verdad? El detalle es que para lograr esto presionarán fuerte a la gente de producción. Tal vez alcanzar esos niveles de calidad implicará modificar partes de la maquinaria, de la materia prima o del proceso.

Las consecuencias obviamente serán incremento en costos o tiempos de manufactura. Esto no sólo hará quedar mal al gerente de producción, sino también a contabilidad; incluso puede retrasar la salida de los pedidos y tener consecuencias con servicio al cliente. Todo esto gracias a que los bien intencionados miembros de un departamento hicieron su trabajo lo mejor posible. Claro, el factor ausente en este proceso fue considerar el contexto. Se concentraron en mejorar el desempeño de su área sin pensar cómo incidiría en otros departamentos. En ingeniería industrial esto se resume con la frase: "la optimización de una parte del proceso produce la sub optimización del resultado; y la sub optimización de las partes optimiza el resultado".

Es por esto que resulta esencial en toda empresa que desee perfeccionar sus logros, reunir a los representantes de todas sus áreas en reuniones periódicas. Sin embargo una y otra vez he presenciado juntas de estas características en las que los participantes no consideran seriamente que deberían comprender cómo interactúan sus decisiones en las áreas de otros. Menosprecian o ignoran que su interdependencia es mucho mayor de lo que imaginan y mantienen su inconciencia viva.

Obviamente esta parte del desarrollo de la conciencia requiere, además de poner atención a los detalles organizacionales, relacionarnos entre sí y con los demás. Quien desarrolla esta capacidad observadora se convierte en un ejecutivo más valioso para la compañía pues entiende los tiempos; sabe cuándo actuar y cómo hacerlo. En términos simples, adquiere mayor valor para la empresa y desarrolla ventajas competitivas en el mundo del trabajo. Si usted no es una persona interesada en el mundo de la producción industrial o de la efectividad organizacional no se enfade, este punto también aplica a la vida cotidiana de cualquiera de nosotros y lo veremos en detalle inmediatamente.

Conciencia del contexto en la vida personal.

En nuestras actividades personales y cotidianas sucede lo mismo. Si nos preocupamos demasiado por cuidar un área descuidamos el resultado global. Por ejemplo, si durante unas vacaciones familiares deseamos visitar el máximo número de museos posibles y para ello nos levantamos sumamente temprano, andamos con prisa y presionamos a nuestros acompañantes para que hagan todo rápido, seguramente dañaremos algunas relaciones; habrá disgustos y no se disfrutará tanto este evento tan importante en la vida de las familias. Perdemos el objetivo principal (la convivencia en armonía) por tratar de llevar al máximo una actividad específica (visitar museos).

La observación del contexto suele ser una de las carencias de la mayoría de los jóvenes. Cuando tenemos corta edad tomamos decisiones sin considerar las consecuencias de nuestros actos; pensamos las cosas de manera llana y lineal. ¿Tengo ganas de esto?, ¿puedo hacerlo? Entonces lo hacemos. Pero olvidamos que todo acto tiene consecuencias y éstas jamás dependen de nosotros, sino del proceso natural de los actos. Es por ello que los padres de familia solemos preocuparnos o desesperarnos ante las decisiones de los hijos, pues suele pasar que los papás sí vemos más allá de lo que ellos observan (o al menos sería ideal que fuese así).

Sin embargo, también los adultos actuamos en ocasiones con un alto grado de inconciencia del contexto. Tomamos decisiones sin analizar y ponderar cómo impactarán a nuestros familiares, la economía, salud y quién sabe qué tantas cosas más. El orgullo de pensar que nuestras decisiones son las mejores y el egoísmo de actuar sin tomar en consideración los intereses y deseos de los demás, nos llevan a no tomar en cuenta lo que pasa a nuestro alrededor. Generalmente perdernos el contexto implica hacer a un lado aquellos factores de la realidad que no van con los intereses que poseemos o la realidad que deseamos ver.

Es por esto que constantemente esperamos que nuestros familiares actúen y decidan como nosotros lo haríamos. Nos molestamos con nuestros padres porque no tienen una relación de pareja como la que yo creo que deben tener; criticamos a nuestro hermano o hermana por la manera en que educa a sus hijos; todo esto sin considerar que ignoramos factores fundamentales como sus valores, intereses y un sin fin de cosas más. También es cierto que en ocasiones no podemos captar todo el contexto porque el otro resulta ser una persona sumamente hermética que no nos da suficiente información y tampoco permite que nos acerquemos. El asunto importante es que tendemos a tener una visión tan corta que no nos damos cuenta que los demás no piensan ni actúan como nosotros, simplemente porque no son nosotros. Viven una realidad distinta, piensan diferente, poseen una historia, deseos y formas de pensar que no necesariamente coincide con la de nosotros.

Con nuestros hijos y pareja también dejamos de observar el contexto y no nos damos cuenta de cuáles son sus realidades y circunstancias. Un ejemplo de esto es el error común de tratar a nuestro primer hijo o hija desproporcionadamente respecto a su edad. Le exigimos que actúe como grande porque para nosotros es el mayor, pero olvidamos que apenas cuenta con cinco, seis o siete años. Recuerdo imprudencias de este tipo que cometí: "Ya eres grande". Falso, una persona a sus diez o trece años todavía no es mayor. Mucho menos, una de siete. He visto mamás que a su pequeña de nueve años le dejan la responsabilidad de cuidar al hermano menor. Por favor, ¡sólo tiene nueve años! ¿Qué puedo esperar de una niña de esa edad? No importa que sea la mayor, es una niña y no le corresponde, ni tiene la capacidad para proteger y salvaguardar a un infante o bebé. Momentos como éste son representativos de nuestros actos de inconciencia del contexto.

Un caso que suele generar conflictos recurrentes entre las parejas se relaciona con el ciclo menstrual femenino. A los hombres se nos dificulta comprender lo que experimenta una mujer cuando vive sus cambios hormonales. Existen multitud de bromas al respecto, pero la realidad es que como el sexo masculino no experimenta esas sensaciones, somos insensibles al respecto. Necesitamos desarrollar más conciencia de que fisiológicamente ellas transitan por variaciones que influyen en su estado físico y emocional. Sé que es prácticamente imposible que los varones entendamos qué es lo que pasa y cómo se sienten, pero al menos debemos ser cuidadosos al respecto y considerarlo como una variable importante que está fuera del control de ellas en buena medida. Ahora bien, por su parte las mujeres también deberían tomar conciencia de lo contrario, es decir, que los hombres nunca hemos padecido dolores menstruales y que por lo mismo nos cuesta trabajo comprender lo que está sucediendo. Lo importante en todo esto es que el hecho de no experimentarlo no es justificación para no desarrollar paciencia y comprensión. Cuando no hacemos esto demostramos que nos falta desarrollar esa percepción del contexto que tanto nos ayuda a resolver, e incluso evitar, conflictos.

Ser concientes de nosotros mismos.

La moneda de la conciencia tiene dos caras, una es la observación de lo que pasa alrededor nuestro, pero la otra es comprender y reconocer lo que está sucediendo hacia dentro. En el caso de una empresa ver hacia el interior es tener muy claro cuáles son las fortalezas, debilidades, vicios y virtudes que posee nuestra organización. Admitir las limitantes que poseemos y los defectos que reproducimos, así como las áreas de excelencia que hemos desarrollado. Curiosamente, insisto, el reto mayor de la conciencia es el lado de la moneda que apunta hacia nosotros.

Este aspecto de la conciencia se relaciona más con los hábitos que poseemos. Ser concientes hacia dentro consiste en darnos cuenta de lo que está sucediendo en nosotros. Por increíble que parezca, ésta suele ser la parte más complicada para la mayoría de las personas. Pareciera que a la raza humana se nos facilita más observar a través de ventanas que poner atención en los espejos. Nos resulta más sencillo y cómodo mirar el comportamiento de nuestros semejantes, aconsejarles y decirles lo que hacen mal, que ponernos ante el espejo para reconocer nuestras fallas e incluso virtudes.

Tener conciencia sobre nosotros implica darnos cuenta de lo que estamos sintiendo, de que tan congruentes, lógicos y sólidos son nuestros razonamientos y actos. En otras palabras, la conciencia interna es la noción que tenemos de los sentimientos, pensamientos y sensaciones que experimentamos en un momento específico. Un hombre iracundo inconciente es aquél que además de explotar en cólera, no reconoce que eso es una contrariedad, se acostumbra a responder así y termina justificándolo. Cuando la conciencia se ha expandido, este varón no sólo acepta que tiene un problema de dominio propio, sino que también aprende a reconocer cuándo va a explotar justo antes de hacerlo. Al lograrlo aumenta las posibilidades de controlar su enojo, mejorar su conducta y reducir conflictos generados por su mal humor. Su desarrollo de conciencia le permite captar las situaciones bajo las que suele responder de esa manera. Al identificarlo segundos previos a que suceda, se ha acercado muchísimo a la posibilidad de controlar este tipo de reacciones.

La falta de conciencia sobre nuestro actuar suele manifestarse a través de culpar a otros de nuestros infortunios. Ante la aparición de una situación negativa o una meta no cumplida volteamos inmediatamente a la ventana a buscar la causa del fracaso. Vemos hacia el exterior. Nos olvidamos del espejo y en lugar de observar nuestros reflejos para identificar qué fue lo que hicimos mal; cuál ha sido nuestra participación en lo sucedido, nos disculpamos responsabilizando a alguien más, o a las circunstancias, para convertirnos en víctimas y no en co-responsables de lo ocurrido.

"No es que yo sea impaciente, es que los niños se portan mal"; "el verdadero problema no radica en que no sepamos vender, se trata de que los clientes no saben valorar nuestros productos"; "yo tendría una excelente empresa si no fuera por el gobierno y sus torpes medidas". "Mi infidelidad se debe a la actitud que toma mi pareja. Si él (o ella) fuera de tal manera yo no sería infiel". ¿Lo puede ver? En todas las frases anteriores quien las emite se siente libre de culpa; cree que es una pobre víctima que vive a merced de los demás. Se está auto engañando. Está en un estado de inconciencia. No se ha dado cuenta que en todas las situaciones anteriores él o ella han sido protagonistas de lo que sucede, al menos en su manera de responder ante cada circunstancia.

Estoy de acuerdo en que hay situaciones ajenas a nosotros que nos perjudican e identificarlas es parte de un acto de conciencia del contexto; pero si no nos vemos en el espejo no reconoceremos la parte que nosotros hemos tenido en todo ello. Hay algo en lo que nosotros hemos colaborado para que el resultado final sea el que se produjo.

Recuerdo a una mujer que tenía problemas de relación con su hija. Durante nuestra conversación fui descubriendo que además de tener dificultades con su hija, también tenía conflictos con su pareja, su suegra y un par de maestros de su hijo menor. ¿Cuál era la constante en todas esas relaciones conflictivas? ¡Ella! Sin embargo no lo había notado. Desde su perspectiva había una razón para comprender por qué tenía dificultades con cada una de las otras personas. Tenía muy claro lo que había visto a través de la ventana y su espejo lo mantenía empañado.

Recuerdo a un hombre que se lamentaba por lo injusto que le habían tratado en sus empleos. Acudió a mi angustiado porque se había quedado sin trabajo. Me expuso el inequitativo proceso que vivió antes que lo despidieran. Lo interesante es que ya habían cometido varias "injusticias" con él, en sus empleos anteriores, de los cuales también le habían votado. Nuevamente aquí la persona involucrada en todos los casos era él. Nunca se le había ocurrido que tal vez él actuaba de cierta manera que generaba esos problemas. Hablamos varias horas y le costó mucho trabajo aceptar que él colaboraba de alguna manera para que eso sucediera. Parecía que el mundo se había puesto de acuerdo para conspirar en su contra. Decía: "¿por qué me pasa esto una y otra vez?, ¿qué he hecho yo para merecer estos resultados?" El problema es que siempre veía lo que los demás hacían, pero no se cuestionaba si su manera de actuar en los trabajos, o en sus relaciones humanas dentro de las empresas, era parte del problema. Resultaría muy sano y conveniente que él su hubiera atrevido a preguntar a la persona que le despidió cuál era la verdadera causa; pero el siguiente reto sería si estaría dispuesto a escuchar para entenderlo en lugar de buscar justificaciones.

¿Qué tanto nos vemos al espejo?, ¿se ha puesto a pensar que probablemente no se haya dado cuenta de grandes errores que comete?, ¿ha pensado a fondo la posibilidad de que algunos de los malos resultados que tiene se deben a errores, vicios o malas decisiones suyas?, ¿sabe en específico cuáles son?, ¿puede hacer una lista de esos defectos?

Negar lo que vemos.

Cuando se trata de cuestiones que relacionamos con nuestro desempeño y emociones tendemos a cerrar los ojos de nuestra conciencia y negar parte de la realidad que vivimos; específicamente aquella que nos muestra que lo que estamos haciendo es incorrecto o nos produce resultados negativos. La inconciencia nos lleva a actuar como la madrastra de Blanca Nieves ante su espejo mágico. Mientras el reflejo nos diga lo que deseamos escuchar le ponemos toda nuestra atención y lo citamos como referencia; pero cuando la imagen expone algo que nos es desagradable, quebramos el espejo y lo consideramos mentiroso, injusto y malagradecido.

Cony es una chica joven y de buen parecer casada con Esteban. Gaby (mi esposa) y yo le escuchamos y atendimos en un par de ocasiones. Nos visitó porque tenía serios problemas en su matrimonio. A pesar de que apenas cumpliría tres años de casada su relación estaba fría y distante. Inició su conversación platicando detalles que le producían insatisfacción en su relación de pareja. Su marido trabajaba mucho, no ponía atención al cuidado del bebé que tenían, asistía sin ella a eventos con sus amigos, etc. De entrada me pareció la tristemente común historia de intereses individuales y vidas distanciadas dentro de la relación conyugal. Conforme avanzamos en la charla destapó situaciones más específicas. Afirmaba que su esposo mostraba muy poco sus sentimientos hacia ella. Estaba convencida que él la quería, pero realmente deseaba que expresara más su cariño. Nos compartió que jamás era grosero con ella, pero tampoco le brindaba caricias o detalles amorosos; incluso la buscaba muy poco sexualmente. Podían pasar semanas continuas en las que su vida íntima era inexistente.

Al continuar la conversación expuso más información. Al hacerlo su rostro se tensionó más y sus ojos se humedecieron. Platicó, entre muchas otras cosas, que Esteban viajaba constantemente por motivos de trabajo y que al hacerlo solía llevar consigo a su asistente. Este solía ser un hombre. Esteban prácticamente siempre, dijo Cony, contrataba como secretario particular a jovencitos apuestos menores que él. Con suma sutileza expresó su preocupación por verle elegir este prototipo como apoyo personal en el trabajo. La dirección en que empezó a dirigir su conversación, y algunos otros detalles que mencionó, me llevó a hacerle preguntas relacionadas con la sospecha que ella tenía de que él tuviera prácticas homosexuales. Sus respuestas cada vez brindaban más información al respecto y lo que en el inicio parecía un comentario aislado empezó a tomar sentido y dar mayor peso a la posibilidad de que su marido le engañara con personas de su mismo sexo. Al parecer ese era el tema que verdaderamente le tenía tan preocupada y sobre el que realmente deseaba hablar.

En determinado momento, y ante la pregunta directa de si ella pensaba que su marido tenía una vida doble, su comunicación verbal y física se transformó. Respondió rotundamente que no. Que en realidad eso no tenía nada que ver con el problema que deseaba tratar y desvió por completo la conversación. Con respeto y cuidado le recordé los ejemplos y comentarios que recién había hecho. Nerviosa dijo que realmente eso no era importante y nos desviaría de lo que pretendía que habláramos. Sus evasiones incrementaron y unos minutos después nuestra charla había concluido.

Este es un caso representativo de cuándo, a pesar de ver hechos, preferimos cegar nuestra conciencia. Vemos sin ver, observamos deseando no haberlo hecho y ante la realidad optamos por bloquear nuestra perspectiva para continuar la vida sin alterarla. Por supuesto que es una respuesta válida, pero resulta inefectiva, pues al negar una realidad colaboramos para que se siga reproduciendo. Podemos decidir negar lo que sucede, pero al hacerlo estamos optando por continuar viviendo igual. Situaciones como esta también suelen pasar a quienes tienen algún vicio. Ante la realidad de que constantemente realizan un acto del cual están convencidos que les perjudica, deciden negarlo y auto justifican su comportamiento reduciéndolo a algo intrascendente. Simplemente se bloquean y minimizan la realidad con argumentos como: "realmente no tengo un problema con la bebida, puedo dejar de tomar cuando lo desee"; "fumo porque me gusta hacerlo, no porque lo necesite"; "no soy una persona explosiva, simplemente ante situaciones como esa, cualquiera responde con ira"; "sólo soy un bebedor social"; "en realidad no tengo problema con el juego, todo lo tengo bajo control, incluso cuento con un límite a gastar cada vez que vengo al casino", "no es que no sepa usar las tarjetas de crédito, es que como está la situación no tengo alternativa".

Las frases anteriores son claras muestras de imágenes distorsionadas en el espejo. Justificaciones tranquilizantes que nos permiten continuar actuando como no quisiéramos creyendo que no lo hacemos, o al menos que lo hacemos de una manera controlada. Le diré un pequeño truco para saber si algo realmente está bajo nuestro control o si ya lo perdimos y nos auto engañamos. Si más de una persona cercana a nosotros, que nos conoce o nos estima, nos ha expresado su preocupación al respecto o nos lo ha insinuado, lo más probable es que estemos en problemas y no nos hemos dado cuenta. Nos lo está diciendo gente que nos ama; personas que nos desean el bien. ¿Por qué lo dicen si no fuera porque lo ven en nosotros? Rompa la resistencia a reconocer que usted como yo somos personas comunes que tenemos defectos y con ellos la posibilidad de mejorar. Renunciemos a la inconciencia.

Recuerdo a Tadeo, una persona con diabetes que se alimentaba terriblemente a pesar de la enfermedad que tenía. Cuando lo descubrían comiendo alguna golosina argumentaba que sólo era una excepción, que se trataba de una ocasión especial, que tan sólo era una pequeña porción de dulce que probaba para quitarse la tentación. Siempre tenía excusas para comer lo que no debía. Sus excepciones eran la constante. Se negaba a admitir que tenía un problema de dominio propio y que simplemente no se alimentaba como debía hacerlo. Su espejo parecía un simple cristal que no mostraba reflejo alguno, o si lo hacía era uno sumamente distorsionado.

El desarrollo de la conciencia es un despertar en el que empezamos a aceptar lo que vemos; nos permite no sólo observar las situaciones, también nos provee de la madurez para reconocer la verdadera magnitud de ellas respecto a nuestras vidas. Fortalecer nuestra conciencia es el paso número uno para iniciar un proceso de cambio efectivo. Si queremos adquirir hábitos positivos antes que nada debemos admitir cuáles son los vicios que poseemos. Si no lo hacemos será imposible dejarlos o sustituirlos. Como reza el dicho: "no hay peor enfermo que aquél que piensa que está sano".

Identificando lo que debemos cambiar.

Cambiar implica mucho esfuerzo. A todos nos encanta afirmar que estamos a favor de los cambios, sin embargo en cuanto nos enfrentamos a uno tendemos a rechazarle. En mis seminarios para empresas sobre actitud ante los cambios suelo hacer un ejercicio sencillo que permite a las personas reconocer que tan proclives somos a oponernos a las modificaciones en nuestra vida.

De manera aparentemente espontánea les comento que no siempre es sencillo cambiar y les digo: "... por ejemplo ahora que me informó su director que en el siguiente trimestre iniciarán un nuevo horario y nuevas políticas de ventas". Ante mi comentario de inmediato reaccionan con asombro. Unos abiertamente manifiestan descontento, otros quedan petrificados y unos más empiezan a cuchichear con sus compañeros: "vaya, de esto se trataba todo esto"; "sabía que nos daban este seminario para darnos un golpe en la cabeza"; "no puede ser, ahora que ya tenía bien organizada mi vida"; "¿cómo quieren que vendamos más si nos hacen esto?". Al ver sus reacciones permito que se expresen un poco y después les interrumpo para explicarles que se trataba de una broma. Las risas nerviosas e inclusos los reclamos no se hacen esperar. Ahora se ríen de ellos mismos al descubrir que su reacción ante el anuncio de un cambio les había trastornado. Ni siquiera sabían si las modificaciones a las que me refería serían benéficas para ellos; el solo hecho de que implicara modificar su estatus actual fue motivo de insatisfacción. Estaba atentando contra sus hábitos de vida.

Si cambiar implica esfuerzo, entonces no debemos aplicar modificaciones azarosas y sin dirección. Resulta primordial identificar en qué áreas debemos modificar nuestros hábitos y en cuáles no. Si vamos a afrontar un reto, debe ser uno que valga la pena, un área que verdaderamente sea importante cambiar. ¿Le gustaría estar totalmente seguro o segura de qué es lo que requiere cambiar y qué es lo que debe mantener tal como lo hace ahora? Le garantizo que si la reflexión siguiente la realiza con sinceridad y concentración, al final de la misma tendrá la certeza de qué requiere cambiar y qué no.

Reflexión de identificación.

Imagine lo siguiente. Son las diez treinta de la noche después de un largo día de actividades. Se ha duchado y se dispone a dormir. Al colocar su cabeza sobre la almohada reflexiona sobre lo pesado que estuvo su día. Ha trabajado duro y mañana también lo hará. Cuando está a punto de quedar dormido siente una vibración extraña en su recámara. Un zumbido creciente empieza a llenar la habitación a la vez que una luz potente y clara inunda su cuarto. No sabe qué está pasando. Cierto grado de nerviosismo le invade. Sacude a su pareja que duerme junto a usted, pero no reacciona. La luz es cada vez más intensa. De pronto se vuelve un descomunal blanco. Es Dios que se le aparece. Nuevamente mueve a su cónyuge sin éxito, incluso el Creador le dice que ni intente despertarle, será en vano. No es con él o ella con quien ha venido a conversar, es con usted.

—"Hijo (a) he venido a darte dos noticias. La primera es que debido a que has honrado a tu padre y a tu madre, te daré lo que he prometido en mis mandamientos a quiénes lo hacen. Te daré una larga vida. Quiero comunicarte que vivirás hasta los noventa y cinco años".

Instantáneamente usted saca la resta y entiende que todavía le queda mucho kilometraje por recorrer. Sin pensar salen de su boca palabras de agradecimiento y añade: "Señor, ¿cuál es la otra situación que deseas comunicarme?".

—"Esta segunda noticia consiste en que sepas que vas a vivir desde hoy hasta tus noventa y cinco años de edad igual que cómo has vivido tus últimos dos años. Cada área de tu vida será prácticamente una repetición durante todo ese tiempo. Tendrás el mismo grado de salud que posees ahora; tus relaciones serán iguales; te llevarás con tu pareja tal como han convivido estos últimos dos años. Tu economía y calidad de vida se mantendrá como hasta ahora. Tendrás el mismo ritmo de trabajo y los mismos resultados. Serás tan feliz o infeliz como lo has sido estos últimos años".

En ese momento la presencia divina desaparece, su pareja sigue desmayada a su lado y usted queda más despierto o despierta que nunca antes en su vida.

Ahora soy yo quien le hará una pregunta sumamente importante. De su respuesta se desprenderá lo que estamos buscando, conocer en qué áreas debe cambiar y en cuáles debe mantenerse igual. Responda con toda sinceridad, lo que Dios le ha dicho, ¿parece ser una "bendición" o una "maldición"[5]? Continuar viviendo hasta sus noventa y cinco años de edad tal como lo ha hecho durante sus dos últimos, ¿es algo deseable o detestable? Pensar en esto le produce una gran satisfacción y gratitud hacia Dios o por el contrario lo que anhelaría es que Dios le llevara en ese mismo instante

---

5. A los estados de satisfacción o insatisfacción les he llamado "bendición y maldición". Los coloco entre comillas porque es evidente que no se trata realmente de algo que Dios ha diseñado para nosotros, sino del fruto de nuestras decisiones y acciones. Lo aclaro para no dejar abierta la posibilidad de interpretar que me refiero al fruto del actuar divino en nuestras vidas.

a su presencia. ¡No aguanto un mes más así, ni pensar en treinta, cuarenta, cincuenta o sesenta años!

Áreas de "bendición y maldición".

Si usted es como la mayoría de las personas seguramente encontró algunas áreas de "bendición" y otras de "maldición". Si ha contado con buena salud, será una bendición llegar a los noventas sin padecer Alzheimer o Mal de Parkinson. Si su economía ha sido pujante, continuar de esa manera resulta maravilloso. Pero por otra parte, también puede haber descubierto áreas de "maldición". Estas son en las que simplemente no estamos dispuestos a continuar así. Hacerlo sería un suplicio y una extensión de la infelicidad que hemos experimentado en ellas.

Sus áreas de "maldición" le muestran dos puntos muy claros:

1. *Lo que está haciendo en esas áreas está mal.* Si estuviera bien lo que hace el resultado que obtendría sería satisfactorio, pero la reflexión recién hecha le ha demostrado que no es así.

2. *Debe cambiar en esas áreas.* Extender lo que ha hecho hasta hoy en esos rubros le garantiza que seguirá teniendo lo que ha obtenido. Es evidente que si el resultado ha sido insatisfactorio debe intentar cosas nuevas para tratar de obtener una consecuencia distinta. Por lo general modificar los resultados en estas áreas no depende de hacer las cosas con más

entusiasmo, sino en hacer algo diferente. Con "echarle ganas" solamente logrará llegar más rápido a donde no desea hacerlo, pues si lo que hace es erróneo, hacerlo con más entusiasmo sólo producirá el mismo mal resultado, pero más rápido. Así que por favor, y por su bien, en estas actividades no le ponga más ganas.

Una posible barrera para tomar conciencia de lo que estamos haciendo, y de nuestro estado actual, es culpar a otros por lo que nos sucede. Resista la terrible tentación de creer que sus áreas de "maldición" se deben a alguien más. No rompa el espejo porque no le gusta lo que ve. Hacerlo es un error que le impedirá mejorar su calidad de vida. Puedo entender que otra persona actúe erróneamente y eso le perjudique o produzca infelicidad. De hecho he conocido muchos casos en los que en una sociedad una de las partes comete fraude; o parejas en las que uno de los cónyuges es infiel. Comprendo que esto es injusto, sin embargo en toda relación humana, el resultado de la misma es fruto de la combinación de cómo interactúan ambas.

Recuerdo el caso de una mujer recién divorciada. Ella culpaba de sus desgracias a su ex marido. Me refirió un buen número de actos injustos e irresponsables de parte de él: infidelidad, avaricia, violencia verbal y cosas por el estilo. Su relación matrimonial había durado 14 años y ella afirmaba que siempre existieron situaciones como las mencionadas. No dudo que buena parte de lo que ella afirmaba fuera cierto; sin embargo estaba cometiendo el error de pensar que ella no tenía nada que ver con lo que había sido su vida matrimonial. ¿Por qué había decidido casarse con alguien así?, ¿qué había hecho ella para mejorar su relación?, ¿cómo actuaba ella cuando él no pagaba las cuentas de la casa?, ¿cómo respondía cuando él hacía uso de violencia verbal?, ¿respondía igual, callaba o levantaba un antecedente legal ante las autoridades? No voy a responsabilizar a la parte ofendida por la injusticia cometida por el otro, pero lo que afirmo es que el resultado de esa relación es consecuencia de cómo actuó uno en combinación con cómo respondió el otro ante lo sucedido. En otras palabras, tenemos lo que tenemos debido a cómo actúan los demás y a cómo decidimos comportarnos y relacionarnos con ellos. La manera en que respondemos ante las malas actitudes de otro produce, en conjunto, el resultado de la relación. Si modificamos la manera de relacionarnos, el fruto será distinto, no sé si mejor o peor, pero diferente. A fin de cuentas, si hemos comprobado que el resultado actual no nos agrada, intentemos algo nuevo, así tendremos un desenlace distinto.

En cuanto a las áreas de "bendición" simplemente siga haciendo lo que ha hecho, puesto que ello le ha llevado a tener resultados satisfactorios. Ahora ya sabe en qué áreas requiere cambiar y en cuáles continuar como hasta ahora. Necesita modificar sólo las áreas en las que está insatisfecho con sus resultados.

Pararnos frente al espejo.

Espero que conforme hemos avanzado y citado ejemplos haya podido expandir su conocimiento sobre sí mismo;

que su corazón esté abierto al desarrollo de su conciencia. Si ha descubierto en usted actitudes de negación, no se sienta mal; por el contrario, celebre que ahora se ha dado cuenta. El primer paso de todo cambio es entender y admitir nuestro estado actual. Pasemos de la teoría a la acción. Es momento de crecer, de cambiar, de adquirir mejores hábitos. Usted merece una nueva oportunidad, su familia, sus amigos, sus colegas y el mundo que le rodea también necesitan de sus cambios. Somos criaturas con posibilidad de transformación.

Le reitero que mi intención no es hacerle pasar un mal momento cuando descubra que no ha vivido al nivel que le gustaría y que puede hacerlo; sin embargo, es inevitable que experimentemos cierta incomodidad cuando nos damos cuenta que no hemos desarrollado el tremendo potencial que Dios nos ha depositado en nuestro interior. Párese frente al espejo y véase con total transparencia. Sea sincero y sincera con usted. ¿En qué áreas no está satisfecho?, ¿qué situaciones le generan infelicidad?, ¿qué ha hecho para cambiar esto?, ¿qué le critican y de qué se quejan los que le rodean? Atrévase a hacerse unos rayos x de conciencia. No se arrepentirá.

Para convertir este análisis en algo práctico que traiga beneficios a su vida, complete la información que a continuación le solicito. Sea valiente y totalmente sincero consigo mismo. Engañarse sólo le llevará a continuar viviendo como lo ha hecho hasta ahora y se negará la posibilidad de tener mejores resultados y por lo tanto, mejor calidad de vida.

Las siguientes preguntas y solicitudes de información le servirán de espejo. Si el espacio destinado en estos ejercicios es insuficiente anote sus respuestas en una libreta personal.

1. ¿Qué tan satisfecho está con sus resultados en las siguientes áreas de su vida? Elija uno de los estados listados para cada una de sus áreas de vida. Use como parámetro únicamente su propio estado de satisfacción. Recuerde el ejercicio mental de la aparición y utilice la pregunta mencionada como referencia para su calificación: ¿estaría dispuesto (a) a continuar con el mismo resultado en esa área durante muchos años más?

Área de vida	Totalmente satisfecho	Medianamente satisfecho	Insatisfecho
Relación de pareja			
Relación con hijos			
Relación con papás			
Relación con familia política			
Vida social (amigos)			
Economía familiar			
Ahorros			
Salud			
Satisfacción en el trabajo.			
Desarrollo profesional (actualización, estudios, etc.)			
Vida y crecimiento espiritual.			
Alcanzar sueños y anhelos personales			

2. *Divida las zonas de satisfacción de las que no lo son. Incluya en las de insatisfacción aquéllas que consideró como "medianamente satisfecho".*

Lista de áreas o actividades con satisfacción (bendición):

a. _____

b. _____

c. _____

d. _____

e. _____

f. _____

g. _____

Lista de áreas o actividades de insatisfacción (maldición):

a. _____

b. _____

c. _____

d. _____

e. _____

f. _____

g. _____

3. Si es necesario anote más áreas de insatisfacción. Recuerde que tener muchas áreas de este tipo no es vergonzoso, al contrario, nos marcan posibilidades de mejora. Es justo en estas zonas donde podemos incrementar nuestra calidad de vida y, obviamente, es donde más deseamos hacerlo ¡Ánimo, está iniciando un viaje hacia mejores posibilidades! Nadie se ha arrepentido de tratar de mejorar su vida y muchas personas viven atormentadas por no haberse atrevido a hacerlo. Este es apenas el primer paso para modificar aquellos hábitos que entorpecen nuestra felicidad. Continúe el proceso y la lectura con entusiasmo y expectativas positivas respecto a lo que vendrá en su vida.

Resumen del capítulo.

En este capítulo hemos visto que el primer paso para adquirir un hábito y cambiar consiste en tomar conciencia. Hacerlo significa darnos cuenta de lo que sucede a nuestro alrededor y dentro de nosotros. Esto es algo que podemos aprender a hacer. Identificar lo que pasa en nuestro contexto implica poner atención a las demás personas y a las circunstancias que rodean la realidad en la que nos movemos. Esto aplica tanto para nuestro ambiente laboral como para lo personal.

Por su parte, tomar conciencia de lo que se da en nuestra persona implica no sólo identificar, sino reconocer que somos seres imperfectos; que cometemos errores; que hay muchas áreas en las que podemos mejorar. Necesitamos poner atención a las cosas en las que los demás se quejan de nosotros. El gran reto para desarrollar conciencia sobre nosotros es partir de que estamos mal en las áreas en que no tenemos buenos resultados. Requerimos dejar de culpar a otros o a las circunstancias y aceptar que nosotros contribuimos para que se den esos resultados pobres.

Si queremos cambiar necesitamos primero reconocer cuáles son las zonas de la vida en las que estamos insatisfechos. Una vez que demos este paso será posible mejorar en esas áreas; pero mientras sigamos negando que hay partes de nuestra vida que están mal, será imposible modificarlas. Esto no significa que seamos pesimistas, por el contrario, buscamos reconocer para cambiar, para mejorar, para crecer. La sinceridad con nosotros mismos y la humildad para reconocer esas fallas son la clave para desarrollar este primer paso, tener conciencia.

Capítulo 5.
Motivarse.

Un hombre que no se alimenta
de sus sueños envejece pronto.
—W. Shakespeare

*S*eguramente estará de acuerdo conmigo en que el simple hecho de conocer que estamos mal en algunas áreas no significa que las cambiaremos. Algunas personas viven concientes de que no son felices o están insatisfechas con sus logros, sin embargo continúan así hasta agotar sus días. Es triste descubrir vidas que guardaron su potencial durante toda su existencia. Dentro de cada ser humano hay más potencial del que utilizamos, somos una fuente inagotable de ideas y proyectos, pero muchos renuncian a trabajar en ellos por falta de motivación o por ignorar que verdaderamente cuentan con la capacidad para implementarlos.

En el capítulo anterior vimos que el primer paso en el proceso de cambio de hábitos, o de un cambio en general, es tomar conciencia de nuestra situación, ubicarnos en el contexto de lo que estamos viviendo, identificar en cada área de nuestra vida los resultados que tenemos y aceptar dicha realidad. Esto nos permite establecer claramente dónde nos encontramos, en qué estamos insatisfechos y qué es lo que deseamos cambiar. Tener conciencia de nuestro estado actual nos permite saber al menos cómo no queremos seguir viviendo. Sin embargo esta fase sin la siguiente, que es la motivación para realizar dichos cambios, sería terrible. Conciencia sin esperanza produce frustración. Es por ello que la segunda fase del proceso de cambio consiste en identificar nuestro horizonte, el cómo deseamos estar. La fase uno es describir el presente, la dos el futuro.

Esta segunda etapa consiste en establecer metas para cada una de esas zonas en las que deseamos mejorar. Sin ellas será prácticamente imposible desarrollarnos y alcanzar mejores niveles de desempeño y de realización personal. Estar motivados para trabajar por nuestros anhelos es indispensable para alcanzarlos. Desde mi perspectiva la verdadera motivación del ser humano no procede de estímulos externos, sino de una pasión interior que está directamente relacionada con nuestros deseos. Una persona que tiene anhelos es alguien motivado. Sus sueños son esa inspiración que le brinda la energía para luchar por lo que anhela.

La leve permanencia de la motivación externa.

Muchas personas catalogan mis conferencias como motivacionales, sin embargo no me considero un motivador, pero no me molesta que me presenten en mis exposiciones como si lo fuera. Me parece que los motivadores cumplen una función específica en los procesos del desarrollo humano, pero no pienso que yo sea uno de ellos. En lo personal me ubico como un expositor que intenta crear conciencia y brindar herramientas prácticas que les permitan a las personas mejorar su desempeño y calidad de vida. Me veo más como un detonador de conciencia que como un generador de motivación. Por supuesto que me interesa que la gente salga animada y esperanzada de mis conferencias. Sería mentir si niego que las personas que asisten a mis presentaciones salen de ellas entusiasmadas y motivadas. Me gusta ver que salen deseosas de mejorar; pero estoy convencido que la fuente duradera de motivación del ser humano no son las conferencias, ni los libros de auto ayuda. Los seminarios y los libros inspiran y son de gran utilidad; son excelentes herramientas que nos abren perspectivas mentales hacia nuevas posibilidades; nos proveen de ideas e información para tener una mejor percepción de la realidad, de nuestro entorno y de nuestras capacidades. Me encanta leer, siempre lo estoy haciendo y por supuesto que me gusta asistir a capacitaciones, seminarios, congresos y cualquier tipo de evento educativo y de formación que pueda aprovechar. Incluso por la misma Internet me proveo de información y conferencias; pero estoy totalmente convencido que la motivación trascendente del ser humano no proviene de estas poderosas herramientas que recién mencioné. Ellas son sólo eso, herramientas.

A lo largo de mi trayecto como autor, instructor de cursos, consejero familiar, asesor empresarial y conferencista he aprendido que las fuentes de motivación externa (conferencias, libros, audios, etc.) son pasajeras. Cuando una persona asiste a un seminario puede salir sumamente motivada; su convicción está por las nubes y afirma rotundamente que ahora sí afrontará los retos con total determinación. La pregunta obligada ante este estado emocional es, ¿cuánto tiempo le durará esa motivación? Mi experiencia me dice que esa energía inspiradora no pasará de dos o tres semanas o incluso menos tiempo. Una vez transcurrido ese lapso la persona bajará su ritmo y nivel de compromiso para regresar a su tradicional estilo de vida o trabajo. Con esto no pretendo desanimarle a leer buenos libros o asistir a eventos que favorezcan su formación, de ninguna manera. Necesitamos hacerlo. Lo que afirmo es que es un error pensar que dichos eventos serán los que nos provean del empuje necesario para generar grandes cambios, pues para lograrlo requerimos mantenernos en un estado mental óptimo durante períodos largos; y como mencioné, las lecturas y conferencias motivan temporalmente.

Otra herramienta común de motivación externa es la llamada técnica de "la zanahoria". Esta consiste en ofrecer a las personas beneficios económicos o materiales extra. Este es un método muy utilizado por los expertos en mercadotecnia. Si compras tal cereal participarás de la rifa de un auto deportivo; "venga a nuestro supermercado y con cada compra adquirirá puntos que canjeará por premios o más mercancía". Sé que estos mecanismos sí funcionan, pues motivan a los consumidores a inclinarse por esos productos o establecimientos, pero sus resultados son temporales. Cuando las empresas suspenden dichos beneficios, los clientes pierden interés en adquirirlos. En el mundo laboral la zanahoria consiste en establecer bonos económicos por puntualidad o por resultados. Como forma de compensación o incluso de motivación temporal me parecen un mecanismo adecuado, pero no como método efectivo para lograr modificaciones relevantes y permanentes en un ser humano. En el momento en que los estímulos son retirados, la motivación desaparece e incluso genera un efecto negativo; pues ahora las personas exigen esos beneficios como si fueran una obligación de quien los ofreció. Así, lo que en un inicio era un extra y motivaba, al suspenderlo se transforma en factor de desánimo pues se convirtió, al menos en la mente del empleado, en una obligación de su empleador que le ha sido retirada.

Dos tipos de motivación interna.

Los seres humanos poseemos mecanismos internos de motivación. Todos conocemos testimonios de personas que a pesar de encontrarse en situaciones de gran adversidad, sacan fuerzas de su interior para triunfar. Existen casos de grandes deportistas, empresarios, luchadores sociales, religiosos y científicos que han pasado a la historia por los logros que obtuvieron gracias a su tesón. Por supuesto también hay innumerables testimonios de personas sencillas y desconocidas por la historia que enfrentan terribles adversidades y salen avante de ellas. Mujeres que al quedarse solas sacan a sus hijos adelante, hombres que después de una catástrofe reconstruyen su vida y muchos casos similares. ¿Qué es lo que ha permitido a esos simples mortales trascender sus circunstancias?, ¿de dónde obtuvieron fuerzas para luchar y vencer tantos obstáculos?, ¿cuál ha sido el origen de su motivación?

Estoy convencido que las personas que han obtenido este tipo de logros no nacieron con cualidades extraordinarias, simplemente se han atrevido a luchar por lo que anhelan; se han negado a vivir conforme a las circunstancias que les rodean y trabajan para modificarlas. Ven su realidad y si no les agrada actúan para cambiarla. Esto es evidente pues sus testimonios son prueba de ello; sin embargo, la pregunta continúa siendo: ¿de dónde obtiene el valor y motivación para actuar así? Mi conclusión al analizar cientos de estos casos es que los seres humanos contamos con dos fuentes estimuladoras que operan de forma natural impulsándonos a producir resultados. Estos dos motivadores innatos son la necesidad y los deseos.

La aparente incapacidad de Silvia.

Silvia se casó muy joven con un hombre nueve años mayor que ella. Creció en una familia en la que sus padres le proveyeron todo lo que necesitaba. Durante su matrimonio lo mismo había hecho su esposo, por lo que nunca había trabajado. En una ocasión una amiga la invitó a poner un negocio, pero su temor había sido tan grande que no aceptó.

En su interior estaba convencida que era incapaz de generar un buen ingreso, nunca había aprendido a hacerlo. Se consideraba pésima para vender, administrar y sacar números, simplemente creía que no era el tipo de persona competente para hacerlo. Poco antes de que Silvia cumpliera 35 años de edad, a sus doce de casada, su esposo falleció en un accidente. Debido a que su marido no contaba con un seguro de vida, ella quedó económicamente desamparada. ¿Qué haría ahora para mantener a sus dos hijos?

Silvia empezó a vender productos de una empresa multinivel y consiguió empleo en una oficina de contratación de personal. En un inicio se sentía mal en sus trabajos, estaba segura que no prosperaría por creerse incapaz de desempeñarse bien laboralmente, pero pensaba que no tenía opción; debía alimentar a sus hijos y conseguir suficientes recursos para darles una buena educación. Para su sorpresa, y de muchos que la rodeaban, Silvia se convirtió en una excelente ejecutiva y desarrolló su negocio de comercialización directa de manera efectiva. Sacó adelante a sus dos hijos e incluso llegó a generar ingresos mayores que los que producía su esposo. La necesidad le motivó a desarrollar su potencial, modificar sus costumbres y desarrollar nuevos hábitos de desempeño que le permitieron salir adelante.

La necesidad como fuente de motivación.

El ejemplo de Silvia es común. Constantemente encuentro casos como el de ella. Personas que debido a circunstancias adversas se ven obligadas a intentar cosas que jamás imaginaron o que se consideraban incompetentes para realizarlas. Con seguridad usted también ubica gente que ha vivido experiencias similares, tal vez incluso sea una de ellas. En todas estas historias la escasez es el factor que motiva a sus protagonistas a salir avante. La necesidad es un excelente motivador natural del ser humano. Cuando llega a nuestra vida nos salen fuerzas de la nada. Donde sólo hay desánimo empieza a surgir una energía de sobrevivencia que nos empuja a hacer lo que se requiera para continuar existiendo o mantener el nivel de vida que teníamos. La necesidad abre un depósito oculto en el interior de las personas del que surgen ideas, energía y voluntad para realizar actividades que ya no hacían o que pensaban que no eran capaces de realizar con éxito.

Me gusta mucho un ejemplo respecto a cómo nos motiva la necesidad. Pensemos en una mujer en sus sesenta y tantos años. Constantemente sus hijos y un médico amigo de la familia le sugieren que trote un poco todos los días para mantener en buen estado su salud circulatoria. Ella afirma que le encantaría hacerlo pero que el estado de sus piernas no se lo permiten. Las reumas que siente no sólo le impiden trotar, sino que ni siquiera le facilitan la posibilidad de caminar con comodidad. Cierto día esta mujer caminaba rumbo a la iglesia. De pronto un perro enloquecido empieza a perseguirle. Sin pensarlo la dama emprende carrera para alejarse del animal. Lo sorprendente es que, sin pensarlo, no sólo corrió al máximo de su capacidad, hasta saltó la pequeña verja de una casa para protegerse del rabioso canino. ¿No era que no podía correr?, ¿no era que sus piernas ya ni siquiera daban de sí para caminar? Claro que podía, pero no había tenido la necesidad de hacerlo. Cuando la necesidad aparece viene acompañada de una dosis de motivación y energía para enfrentar los retos que le escoltan.

Me parece sumamente conveniente el hecho de que poseamos este sistema de respuesta automática ante la necesidad. Es como si contáramos con un botón detonador de energía y motivación ante las adversidades. Los humanos poseemos este mecanismo innato que nos lleva a optimizar recursos, generar alternativas de solución, sacar fuerzas del vacío y persistir ante los retos. El problema con la necesidad es que sólo nos motiva cuando padecemos o carecemos de un proveedor de satisfactores o soluciones. Mientras tenemos cubiertos nuestros requerimientos básicos la necesidad no nos motiva, simplemente mantiene dormidas nuestras capacidades. Silvia, como muchas otras personas, pudo desarrollar sus habilidades como comerciante y ejecutiva muchos años antes, pero como no había tenido necesidad de hacerlo prefería continuar como estaba. Tal vez sea necesario que la vida nos suelte varios perros para que contemos con la energía suficiente para actuar.

Como decía, la gran desventaja de la necesidad como fuente de motivación es que sólo funciona mientras tenemos escasez. En el momento en que alcanzamos estabilidad o cubrimos nuestras necesidades apremiantes, desaparece su factor motivador. Si graficáramos esto en una recta numérica el cero significaría tener cubiertos los requerimientos básicos; los números negativos corresponderían al estado de necesidad y la sección positiva de la escala equivaldría a satisfactores que van más allá de la necesidad, es decir, gustos y comodidades. Si revisamos el esquema 5.1 tendremos una imagen más clara de este punto.

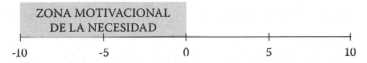

Gráfico 5.1. La necesidad motiva únicamente cuando hay escasez, es decir cuando estamos en "números negativos".

Los deseos como fuente de motivación.

El otro motivador natural del ser humano son los deseos. A diferencia de la necesidad, los deseos nos motivan en cualquier fase y estado de nuestra vida. Con ellos no es necesario estar en escasez para sentir el impulso de luchar por alcanzarlos. Por supuesto que uno tiene deseos al estar padeciendo; sin embargo, contrario a lo que sucede con la necesidad como fuente de motivación, podemos tener deseos y continuar motivados a pesar de que vivamos logros. En este sentido los sueños son una insatisfacción positiva, una búsqueda permanente de mejora y crecimiento. Los experimentamos en necesidad y en abundancia, pues esa es una de sus características, no tienen límites, ¡son sueños! (Ver gráfico 5.2).

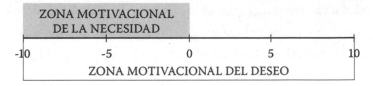

Gráfico 5.2. El deseo nos motiva tanto cuando tenemos necesidad, como cuando tenemos abundancia. Su poder motivador no tiene límite.

Atreverse a soñar.

Tener la capacidad de anhelar es uno de los grandes dones que Dios depositó en nuestra mente. Los deseos reviven corazones, abren puertas de esperanza y también proveen de energía e imaginación. Una persona con deseos siempre tiene una razón para vivir. Como contraparte, quien carece de sueños es como un cadáver que ignora que ha muerto, no vive, sobrevive. Sus días se limitan a respirar, comer e intentar prolongar su existencia veinticuatro horas más.

Imagine que se encuentra una lámpara como la de Aladino. Al tenerla entre sus manos no resiste la tentación de frotarla. Al hacerlo del interior surge el genio y para agradecer su liberación le concederá tres deseos. Lo que usted quiera. La única condición es que sólo cuenta con diez segundos para hacer sus solicitudes. Este planteamiento lo he realizado muchísimas veces en mis seminarios. Al hacerlo detengo mi exposición diez segundos para permitir a los asistentes pensar sus tres peticiones. Invariablemente la gran mayoría de ellos no tiene idea de qué es realmente lo que quiere. Algunos ni siquiera se molestan en pensar al respecto, les parece cosa de niños: "¿soñar?, ¿pedir deseos? ¡Por Dios soy un adulto!, ¿acaso este hombre habla en serio?"

Por favor no repita el patrón de esas personas, aunque sea como juego mental dese la oportunidad de soñar. Tómese ahora mismo unos segundos para recapacitar al respecto. ¿Qué pediría? Si no ha podido definir con claridad en unos cuantos segundos qué es lo que anhela, déjeme decirle que se encuentra en serios problemas. No saber qué deseamos nos convierte en esos zombies que mencioné anteriormente. Los deseos son el motor del corazón y la mente humana. Quien no sabe lo que quiere, obviamente no lo tendrá. Es como si tomáramos un taxi sin saber a dónde ir:

—"¿Me puede llevar?"

—"Por supuesto, ¿a dónde se dirige?"

—"Realmente no lo sé, no he decidido hacia dónde deseo ir".

—"¿Trae dinero?".

—"Claro, sí traigo dinero".

—"Entones súbase, yo le llevaré con mucho gusto".

Absurdo, ¿verdad? Así es la vida de quienes no saben qué quieren. Deambulan de un lado a otro consumiendo sus recursos pretendiendo que algún día alcanzarán algo bueno. Esperan obtener lo que anhelan sin siquiera haber definido qué es. Vivir sin metas claras es como emprender un viaje sin tener un destino definido. Actuar así nos lleva a lo que he definido como "el círculo mortal de la vida diaria".

El círculo mortal de la vida diaria.

Cada día nos despertamos para ir a trabajar. ¿Para qué trabajamos? La respuesta evidente es para ganar dinero. Seguramente hay quienes afirman que ellos no trabajan por el pago, sino por la satisfacción que produce hacerlo. Me pregunto cómo responderían estas personas si al llegar mañana a su empleo su jefe les dijera: "puedes venir a realizarte todos los días, pero no esperes un salario a cambio", ¿continuarían trabajando allí? Por supuesto que no, buscarían, al igual que lo haría yo, otro lugar donde realizarse profesionalmente. Trabajamos para ganar dinero y queremos ese dinero para intercambiarlo por bienes. El primero de ellos es el alimento. La especie humana posee la necesidad de comer todos los días. ¿Por qué comemos? Pues para continuar con vida y energía. ¿Para qué queremos seguir vivos? Para mañana levantarnos e ir a trabajar nuevamente. Este es el círculo mortal de la vida diaria. Vivir para trabajar, para ganar dinero, para comprar comida, para seguir vivos, para ir a trabajar. (Ver gráfico 5.3).

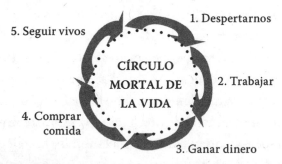

Gráfico 5.3. Círculo mortal de la vida diaria. Despertar cada día para ir a trabajar; trabajar para ganar dinero; ganar dinero para comprar comida; comer para seguir vivos y continuar con vida para al día siguiente ir a trabajar.

Los deseos rompen el círculo mortal de la vida diaria. Una persona que tiene claros sus sueños no se levanta para sobrevivir. Por supuesto que no, todo lo que hace está relacionado con lo que anhela, sus actividades e ingresos son un recurso, parte del recorrido hacia sus sueños. El dinero que obtenga por su trabajo lo transformará en bienes que le acercarán a sus metas. Cada día adquiere sentido si tenemos un propósito claro. Por ello resulta indispensable establecer nuestras metas. Lamentablemente vivimos en una cultura que percibe a los soñadores como gente inmadura. Desde pequeños escuchamos que soñar es para jóvenes, se nos dice que los adultos deben aprender que la vida no es para tener deseos, que sólo nos corresponden las responsabilidades. ¡Qué pena que hayamos creído estas afirmaciones! Lo único que obtenemos al creer esto es formar parte del círculo mortal de la vida diaria. Por todas partes encuentro personas que no sólo han renunciado a sus sueños, incluso se olvidan que alguna vez los tuvieron.

Los seres humanos no estamos destinados a permanecer hasta la muerte en el círculo mortal de la vida diaria. El paso inicial para romper este deprimente ciclo es revivir nuestras metas. Si mientras lee estas afirmaciones está pensando que soy un ingenuo y que esto no es para usted; que usted es una persona con los pies en la tierra, realista y enfocada en lo importante de la vida, permítame hacerle una pregunta. Si Dios se le apareciera hoy mismo y le dijera que sólo le quedan seis meses de vida. ¿Qué haría?, ¿cómo viviría estos 182 días?, ¿seguiría su vida exactamente igual? Estoy seguro que la mayoría retomaríamos nuestras prioridades, pensaríamos en personas que quisiéramos ver, lugares por conocer, actividades por realizar y legados por dejar a nuestros seres queridos, tanto económicos como espirituales. Todos esos son anhelos que podemos transformar en metas por alcanzar; son las cosas más valiosas de la vida, si no fuera así, no las pensaríamos al enfrentarnos a la muerte.

Es muy importante que en este momento no se concentre en razonar que tan viable de alcanzar son sus metas. Eso es lo hermoso de soñar, los límites no existen, éstos nos los traerá el proceso para alcanzar dichos anhelos; pero ya nos ocuparemos de ello en las siguientes fases de los cambios de hábitos. Ahora lo que nos corresponde es identificar cómo y dónde queremos vivir; cómo deseamos que sea nuestro estilo de vida, qué vicios desechar, qué virtudes adquirir, cómo anhelamos que esté la salud de nuestro cuerpo, la economía familiar, a qué queremos dedicarnos, etc. Definamos de manera clara cómo queremos estar en las diferentes áreas de nuestra existencia en las que desarrollamos conciencia.

Una charla transformadora.

En el verano de 1996 tuve una conversación con mi esposa que se convirtió en un detonante transformador de nuestras vidas, en especial de la mía. Ese verano fue cuando mi salud, y por lo tanto mi vida, estuvo en serio riesgo de perderse. Por recomendación médica todos los días realizaba caminatas y la mayoría de las veces las hacía en compañía de Gaby. Una tarde nos encontrábamos recorriendo un parque y nos hicimos las siguientes preguntas: ¿cómo queremos que sea nuestra vida?, ¿cuál sería nuestro estilo de vida ideal, tanto en lo individual como en pareja y familia? En ese entonces yo fungía como gerente administrativo de una empresa de fertilizantes líquidos de mi padre. Tenía alrededor de cinco años en esa función. Dentro de mis actividades extra laborales dirigía junto con mi esposa un grupo de jóvenes del centro cristiano al que asistíamos y conducía un programa de radio sobre temas de desarrollo humano y personal.

Ambos pensamos unos minutos qué era lo que realmente deseábamos para nuestras vidas. Recuerdo perfectamente mi respuesta a tales interrogantes. Compartí con Gaby que en mi corazón estaba el deseo de vivir en la zona centro de la república mexicana (en ese entonces vivíamos en Hermosillo, capital del norteño estado de Sonora). Agregué que a lo que me gustaría dedicarme era a escribir libros que fueran de utilidad para las personas; que anhelaba leer más, prepararme, investigar y exponer mis conclusiones para ayudar a la gente y a organizaciones a mejorar sus resultados y calidad de vida. Me encantaría viajar para impartir conferencias. Escribir, leer, dar conferencias y desarrollar proyectos afines. En ese momento mi realidad no era esa y lo sabía, simplemente exponíamos nuestros sueños.

Pocas semanas después de esa conversación decidí dedicar sólo la mitad del día laboral a la empresa de fertilizantes y utilizar el resto del día para involucrarme más en "lo mío". En 1997 dejé por completo la empresa familiar y empecé a impartir conferencias con cierta frecuencia e incluso tuve algunas invitaciones para hacerlo en Estados Unidos. 1998 fue un año de grandes logros. En ese período inicié mi empresa de capacitación y desarrollo para empresas y edité mi primer audio libro; también en ese año impartí mis primeras conferencias en Centro América. En 1999 mis conferencias en México ya eran frecuentes e inicié mis participaciones en Suramérica. En el 2003 mi primer libro se había publicado. Actualmente dedico el cien por ciento de mi tiempo a la lectura, investigación, capacitación y desarrollo organizacional, a escribir e impartir conferencias y seminarios. Ah, y olvidaba comentar, vivimos en Cholula, una bella ciudad ubicada en la zona central de México.

Estoy convencido que sin aquella conversación ese sueño no habría tomado vida. Tener anhelos definidos nos da un rumbo y nos motiva. Por supuesto que cuando soñamos nuestra realidad es totalmente distinta a lo imaginado; pero allí radica la belleza de la vida, perfectamente representada en la famosa frase de Robert Schuller: "Si lo puedes soñar, lo puedes alcanzar". Tenemos el potencial de transformar nuestra vida, podemos cambiar nuestros hábitos, dejar los vicios y desarrollar virtudes y al hacerlo nos acercaremos a los objetivos que nos hayamos planteado.

Atrévase a describir su estado ideal. Rompa el temor o la apatía y haga una lista de esos deseos. Escriba los hábitos que desea eliminar de su vida y describa aquéllos que quiere adquirir. Imagine cómo desea que sea su día de trabajo en el futuro. Describa su empresa, negocio o empleo ideal. Platique con su pareja o un amigo cercano acerca de sus anhelos. Convierta a alguien en su cómplice de sueños. Lleve a cabo una conversación transformadora.

Estableciendo deseos para las áreas de insatisfacción.

En la siguiente tabla anote las áreas de insatisfacción que identificó en el capítulo anterior y anote junto a cada una de ellas cómo desea estar en esa actividad. Sea tan específico como pueda. Revise el ejemplo para tener más claridad.

Área de insatisfacción	Cómo deseo estar en esta área
Tipo de trabajo	*Dedicarme a dictar conferencias por diferentes partes del país y del mundo, leer, investigar y escribir.*
Economía familiar	*Cero deudas, ahorros superiores a los US$ 20,000 en mi cuenta bancaria, un auto en buen estado y pagando mi casa propia.*

Resumen del capítulo.

El segundo paso para modificar nuestros hábitos consiste en estar motivados. Si tenemos conciencia de nuestra realidad, la identificamos y aceptamos nuestras áreas de insatisfacción, pero no tenemos una esperanza de mejorar, viviremos frustrados. Para transformarnos necesitamos querer cambiar, tener el ánimo y la energía para hacerlo. Esto se obtiene con motivación. Aunque los libros de auto ayuda, las películas y las conferencias son una excelente fuente de ánimo, no nos proveen del aliciente suficiente. Requerimos algo más.

Las fuentes duraderas de motivación son de origen interno, es decir surgen de nosotros mismos. Las dos más poderosas son la necesidad y los deseos. Cuando tenemos necesidad hacemos lo que pensamos que jamás haríamos. La desventaja de los deseos como fuente de motivación es que sólo funciona mientras tenemos escasez. Cuando tenemos cubiertas las necesidades básicas personales y de nuestros seres queridos desaparece el ímpetu que provee la necesidad. El otro motivador interno del ser humano son los deseos. La gran ventaja de soñar es que nos invita a luchar cuando estamos en austeridad y cuando tenemos abundancia. Un soñador se mantiene motivado mientras no ha alcanzado su meta. Mientras hay anhelos hay una razón para vivir.

Quienes viven sin tener claros sus deseos tienen un estilo de vida gris, limitado. Cada día de su vida son horas más, pero no tienen gran sentido. Son los sueños los que le dan sabor a la existencia y los que nos motivan. Cada persona tiene anhelos distintos. El reto es descubrirlos y tenerlos muy claros, tan claros que los podamos escribir y compartir con personas de confianza. Si deseamos adquirir nuevos hábitos necesitamos tener claros nuestros deseos. De ellos vendrá la motivación que nos mantendrá luchando para modificar aquéllas costumbres que nos frenan. Reflexionemos y definamos esos anhelos.

CAPÍTULO 6.
Aplicar un método.

Cultiva sólo aquellos hábitos
que quisieras que dominaran tu vida.
—Elbert Hubbard

*U*na vez que hemos identificado cuáles son las áreas de inconformidad que tenemos y hasta dónde deseamos llegar en cada una de ellas, ahora lo que requerimos saber es cómo llegar hasta allá. Las primeras dos etapas del modelo de cambio generan una brecha entre el estado actual en el que nos encontramos y el estado al que deseamos llegar. Este espacio o hueco a cerrar es lo que se denomina "brecha de insatisfacción". La tercera fase del proceso de cambio de hábitos consiste en identificar acciones específicas que nos permitan adquirir nuevas formas de actuar, pensar y de comportarnos para cerrar dicha brecha. Una vez identificadas estas inconformidades debemos saber qué hacer al respecto, seguir un método o una serie de herramientas que nos lleven a desaparecer este espacio. Aplicar un método significa apegarse a un proceso de cambio y mantenerse aplicándolo sin rendirse. En este capítulo expondré algunas herramientas que nos ayuden a ello. Más que muchas explicaciones esta etapa requiere de ejecución, de decidir actuar y empezar a hacerlo.

El ejemplo de cambiar hábitos alimenticios.

Cuando Gaby y yo nos enteramos que padecía diabetes y que mis arterias tenían serios problemas de obstrucciones, decidimos modificar nuestra forma de alimentarnos. Sin embargo usted sabe que no es sencillo hacerlo. Cuesta trabajo cambiar el estilo de alimentos que ingerimos, nuestros gustos y la forma en que cocinamos. Esto significaba erradicar lo que habíamos hecho por treinta años. Debo admitir que yo era una persona con pésimos hábitos alimenticios, ingería carbohidratos, azúcares y grasas como si jamás produjeran consecuencias negativas. Cada vez que tenía oportunidad comía chocolates, pastelitos y cualquier golosina que me encontrara. Por supuesto que también comía todo tipo de alimentos grasosos. Todo ello derivó en que poco antes de cumplir 31 años padeciera una Isquemia (cardiopatía causada por falta de irrigación del corazón).

Debido a la gravedad de las consecuencias que viví, el médico fue tajante respecto a cómo debía alimentarme. Tal vez quien más sufrió este proceso fue Gaby, ya que de pronto sintió que sobre ella recaía la responsabilidad de cocinar correctamente. Necesitaba modificar por completo no sólo el tipo de comidas que teníamos, sino la manera de prepararlas. Nuestra nueva alimentación requería combinar una dieta para diabético con la de una persona con problemas del corazón. Cuidar carbohidratos, azúcares y grasas. Este reto nos llevaba a dar un giro de ciento ochenta grados a nuestros hábitos alimenticios.

Ante situaciones como ésta, aparentemente la gente no tiene otra opción sino cambiar. Sorprendentemente descubrí que no es así. He conocido bastantes personas que, a pesar de padecer enfermedades serias, no se atreven a modificar sus hábitos alimenticios. Parece que han cauterizado su conciencia o se auto engañan pensando que continuar haciendo lo que les perjudica no les traerá consecuencias fatales. Incluso conozco a una persona que, estando hospitalizada por un problema respiratorio, aprovechaba los momentos de soledad para fumar pegado a la ventana de su habitación.

Recién supimos de mi padecimiento, recuerdo que unos amigos le decían a mi esposa si no estaría yo comiendo alimentos nocivos cuando nadie me observaba. Al oírles me dio risa. ¿Cómo podían creer eso?, ¿a quién engañaría si continuaba comiendo dulces a escondidas?, ¿dejaría mi cuerpo de sufrir las consecuencias de una mala alimentación si lo hacía a ocultas? ¡El principal perjudicado sería yo mismo! No me interesa morirme pronto. ¿Por qué habría de perjudicar mi cuerpo y atentar contra mi vida? En ese momento la lógica de nuestros amigos me parecía errónea y tonta. Sin embargo con el tiempo aprendí que muchísima gente actúa tal como ellos pensaban que lo haría yo. Incluso yo mismo me he sentido tentado en múltiples ocasiones a caer en el auto engaño y comer lo que no debo. ¿Por qué nos cuesta tanto trabajo? Simplemente porque estamos rompiendo hábitos. Además, estos hábitos son promovidos por quienes nos rodean y por las estrategias de mercadotecnia de las compañías productoras y distribuidoras de ese tipo de alimentos.

Seguir un método.

Aprender a comer y cocinar diferente implicó leer al respecto, visitar un nutriólogo y preguntar a personas que habían pasado por lo mismo antes que nosotros. Aprendimos mucho. Nos dimos cuenta de lo pésimo que nos alimentábamos sin siquiera saberlo. Ignorábamos la tremenda cantidad de azúcares que comíamos y las terribles secuelas que ello produce en nuestro cuerpo. Estábamos acostumbrados a que Gaby guisara utilizando aceite vegetal todo el tiempo. Entendimos que la mayoría de los alimentos que se expenden en restaurantes y en lugares públicos suelen ser nocivos para la salud. Con toda esta información empezamos a comprender el grado de importancia que tienen la comida y el ejercicio en nuestra vida.

Para aplicar esto todos los días fue necesario seguir los consejos de los libros y del nutriólogo. Al asistir por primera vez con él le pedí que no sólo nos diera una lista de lo que debíamos comer, sino que nos enseñara a pensar cómo diseñarlos. Le expliqué que debido a que viajo constantemente necesitaba aprender a leer incluso los menús de los restaurantes. Amablemente nos mostró en qué debíamos fijarnos; nos presentó alternativas y nos entregó una lista de los valores de cada alimento. También nos refirió a un libro y a una página de Internet en la que encontraríamos más información al respecto.

Parte del desafío al que nos enfrentamos fue seguir con detalle las recetas y procedimientos para preparar los alimentos. A algunas personas nos cuesta trabajo seguir recetas e intentamos ponerle nuestro toque personal antes siquiera de haberla seguido perfectamente. Así es muy difícil adoptar un método. Hace poco experimenté con mi esposa este tipo de acciones. Para la comida preparó una pasta con base en la receta de un libro de cocina. Aunque el sabor era agradable, nos dimos cuenta que había quedado un poco seca. Ante este comentario Gaby admitió que en la fórmula decía que debía agregar varias cucharadas de aceite de oliva, pero ella no lo había hecho. ¿Por qué?, no sé, lo más probable es que simplemente pensó que no lo haría. El resultado fue que su pasta no tuvo la consistencia y sabor que pudo haber tenido. En otras palabras, si no seguimos la receta terminaremos cocinando como siempre lo hacemos.

El ejemplo de las ventas directas o multinivel.

Como comenté en los primeros capítulos, he tenido contacto profesional con empresas formadas por empresarios independientes. Los famosos sistemas de venta directa conocidos como negocios multinivel. Para mí ha sido todo un aprendizaje colaborar con ellos. Hombres y mujeres de diferentes nacionalidades, estratos sociales y niveles culturales que se han atrevido a generar una alternativa de ingresos diferente a un empleo. Algunas empresas, como es el caso de Amway, no sólo poseen un método para realizar la comercialización y ampliación de la red de distribuidores; también proponen un sistema para modificar las actitudes y conductas de sus miembros.

Desde mi perspectiva este sistema de entrenamiento es una ventaja que se añade a la posibilidad del beneficio económico que pueden brindar estos negocios cuando los trabajan metódica y constantemente. Como parte de su proceso los sistemas multinivel suelen ofrecer otros beneficios a sus miembros. Entre ellos está formar parte de una comunidad de personas interesadas en mejorar su calidad de vida. Se rodean de gente con mayor experiencia multinivel que están dispuestas a compartir sus conocimientos con el deseo de que la otra persona también prospere. Entiendo que esto se hace en parte porque al apoyar a otro, su propia red de distribución se fortalece, pero independientemente de la intención, el nuevo miembro recibe el beneficio de ser entrenado por un mentor con más experiencia. Otro beneficio, y tal vez el principal, es que de inmediato se integran a una organización con un sistema de operación probado y traducido a pasos sencillos de seguir.

He sido testigo en diversos grupos de esta empresa y en diferentes países, de cómo las personas que aplican los métodos que sugiere su sistema de entrenamiento van transformando sus pensamientos y conductas. Este régimen, de manera general consiste en escuchar varias conferencias y leer un libro recomendado por el sistema cada mes, además de asistir a los eventos de entrenamiento. Es impresionante verificar que no importa de qué país se trate o el nivel de educación formal que tengan, quiénes aplican el sistema adquieren características similares que les ayudan a desarrollar su negocio. Este es un excelente ejemplo de la aplicación de un método que se requiere para generar nuevos hábitos. También he visto gente que, a pesar de tener suficiente tiempo como distribuidores, son inconstantes en seguir la metodología propuesta y lo que logran es postergar su proceso de transformación. Como sucede con las recetas de cocina, quiénes no siguen los pasos sugeridos terminan con un platillo diferente al esperado.

El verdadero desafío para seguir un método.

No se requiere de grandes conocimientos para seguir un método, réalmente es muy sencillo. Lo único que debemos hacer es conocer cada paso a dar y hacerlo. El problema radica en que, como dije anteriormente, nos resistimos a adoptarlo. Pareciera como si dentro de nosotros un duende rebelde nos gritara que no hagamos caso, que no tenemos por qué seguir lo que alguien más ha trazado. Nos presiona haciéndonos creer que debemos ser originales y hacer las cosas, como cantara Frank Sinatra, "a mi manera". La realidad es que simplemente hacemos más lentos o inefectivos nuestros procesos de mejora, o seguimos viviendo las mismas insatisfacciones de siempre. Continuamos infelices, pero eso sí "a nuestra manera".

Desde mi entendimiento esto no es otra cosa sino un licuado de orgullo con necedad. Si ya sabemos que lo que hemos hecho no nos ha dado los resultados esperados, ¿por qué nos negamos a seguir los pasos de quienes sí han tenido éxito? Lo mismo pasa con nuestros hábitos. Para modificar o desarraigar los vicios que poseemos actualmente requerimos seguir un sistema. Si no lo hacemos seguramente caeremos en actitudes y acciones como las que solemos tener cada día. Si queremos mejorar, necesitamos apegarnos a un método y serle fiel hasta que veamos los cambios que esperamos. Además, cuando tengamos esos logros, estas acciones se habrán convertido en un nuevo hábito.

Si revisamos nuestras áreas de insatisfacción identificadas al final del capítulo cuatro, debemos reconocer que en ellas no hemos actuado de la mejor manera. Por lo mismo la alternativa que poseemos es actuar como no lo hemos hecho hasta ahora. El método que propondré es una de estas opciones que nos permitirá buscar mejores resultados en esas fases. Atrévase a seguir al pie de la letra el proceso propuesto. No tiene nada que perder y sí mucho que ganar.

Cambiar hábitos por medio de la voluntad.

Quizás la pregunta más importante respecto a los hábitos es cómo podemos dejar uno que nos perjudica o adquirir el que nos conviene. Esta es, tal vez, una de las luchas más fuertes que tenemos los seres humanos con nuestra propia naturaleza. La forma más directa de cambiar hábitos es a través de la fuerza de voluntad. Por supuesto que es posible dejar un hábito mediante el ejercicio de nuestro carácter. Es difícil, pero es posible. Recuerdo un amigo que tenía un trabajo en el que su hora de ingreso era alrededor de las diez de la mañana. Constantemente hacía comentarios en los que presumía que se levantaba cada día alrededor de las ocho treinta de la mañana. Obviamente decía esto frente a personas que iniciábamos nuestro día varias horas antes. Afirmaba que a él le era prácticamente imposible levantarse temprano, por lo que se sentía afortunado de tener un empleo que le permitiera entrar más tarde.

Un día mi amigo se quedó sin empleo y estuvo mes y medio sin obtener otro trabajo. Finalmente consiguió uno como supervisor de rutas de una gran empresa productora y distribuidora de pan. El detalle estribaba en que para supervisar a sus repartidores necesitaba estar en la oficina a las seis de la mañana. Para estar puntual requería levantarse antes de las cinco de la mañana. Ante la necesidad de un empleo, tomó el reto. Para cumplir puntualmente con su horario aprendió a levantarse de madrugada y acostarse temprano. Por supuesto que al principio le costó trabajo hacerlo, pero su responsabilidad y la necesidad de dinero le impulsaron a disciplinarse. Cambió por completo sus hábitos de sueño. Con base en su fuerza de voluntad se convirtió en un hombre madrugador. Casos como éste nos sirven de ejemplo para comprobar que sí es posible modificar nuestros hábitos a través de nuestro esfuerzo y compromiso.

Cambiar nuestros hábitos con base en la fuerza de voluntad implica simplemente que tomemos la decisión de hacerlo y pongamos manos a la obra. Sé que no todas las personas poseen esa firme voluntad para hacerlo. Conozco gente que inicia una dieta y no soportan seguirla durante más de tres días; u otras que llevan años intentando dejar el cigarro sin éxito a pesar de que lo han intentado basados en su voluntad. Aunque ejercer carácter es una alternativa real, no todas las personas contamos con un ejercicio poderoso de nuestra fuerza de voluntad. Si este es su caso no se desanime, existe otra herramienta que le permitirá modificar sus hábitos.

La sustitución como herramienta modificadora de hábitos.

A falta de fuerza, maña. Si no contamos con el dominio propio suficiente para dejar un hábito o una rutina infructuosa, podemos recurrir a la sustitución. Siempre es más sencillo reemplazar algo que simplemente dejarlo. Por ejemplo, si le pido que me regale su reloj, usted podrá hacerlo o no, pero seguramente sus primeros pensamientos serán: "¿por qué lo voy a hacer?", "¿por qué me pide mi reloj?", "¿para qué lo que querrá?", "no tengo obligación de obsequiárselo". Si en lugar de solicitarle su reloj le propongo intercambiarlo por el mío sus pensamientos serán diferentes: "déjame ver el tuyo", "ahora sí me gusta la idea", etc. ¿Lo puede ver? Intercambiar es mucho más atractivo que dejar algo.

Lo mismo sucede con los hábitos. Recordemos que los adquirimos porque en un inicio nos producían placer o solucionaban alguna necesidad nuestra. ¿Por qué vamos a dejar algo que nos produce satisfacción o nos brinda buenos resultados? Tal vez ahora nos genera más perjuicios que beneficios, pero el problema es que como nos era conveniente en un inicio, lo practicamos constantemente hasta que se convirtió en una acción inconciente y ahora nos cuesta abandonarlo. Dejar algo es difícil, pero sustituirlo es más sencillo. Pensemos en cualquier compra que hacemos, es una transacción en la que intercambiamos dinero por algún bien o servicio que nos da una satisfacción o nos resuelve alguna circunstancia específica. Si en una tienda de música nos piden que les demos el importe equivalente a cierta mercancía, pero aclaran que no nos darán nada a cambio, lo consideramos un robo; pero si nos solicitan el mismo monto a cambio de un disco compacto, estaremos dispuestos a hacerlo si la música que contiene es de nuestro agrado y el precio nos parece justo. Sustituir siempre es más sencillo que dejar. Intercambiar dinero por bienes y servicios es más conveniente y fácil de hacer que regalar dinero.

Esta es una clave fundamental para el cambio de hábitos. Necesitamos sustituir con nuevos hábitos, aquéllos que deseamos romper. Pero para que una sustitución de prácticas sea efectiva es indispensable que el hábito sustituto cumpla dos requisitos, oponerse al hábito actual y producirnos una satisfacción o solucionarnos algo. Pensemos por ejemplo en una dieta alimenticia. Si la nutrióloga que nos atiende nos dice que debemos dejar de comer mantequilla, harinas, dulces y alimentos grasosos, vamos a sufrir. Abandonar todos esos alimentos nos producirá mucha hambre, ansiedad y demasiada conciencia de que no podemos comer todo lo que deseamos. Hay personas a las que el sólo hecho de pensar que están a dieta les altera su estado de ánimo e incluso su sensación de hambre aumenta. De hecho este es el tipo de régimen que fácilmente rompen las personas. Inician con toda su fuerza de voluntad, pero un par de semanas (o días) después, se rinden y comen lo que se les antoje.

Si en lugar de pedir que nos abstengamos de ciertos alimentos nos indican con cuáles los podemos sustituir, será mucho más sencillo apegarse a la dieta. En lugar de refrescos con azúcar podemos tomar los que contienen edulcorantes; de igual manera con las golosinas. Al cocinar podemos utilizar sólo aceite de oliva y con ello no consumir el resto de aceites; comprar aderezos, mayonesas y mantequillas sin grasas. En lugar de tener arroz como primer plato podemos acostumbrarnos a que el platillo inicial sea una ensalada. Si sustituimos los alimentos no tendremos hambre, mentalmente se reduce la idea de que estamos a dieta y poco a poco empezaremos a observar buenos resultados que nos motiven a continuar con nuestra nueva manera de alimentarnos.

Características de la sustitución efectiva.

Recordemos que para que una sustitución sea efectiva es indispensable que las nuevas acciones se opongan a los vicios que deseamos dejar y que también nos produzcan algún resultado positivo. Por ejemplo, si queremos que nuestro hijo pequeño vea menos horas la televisión es un error pedirle que se ponga a colorear. Tal vez le guste mucho hacerlo, pero puede pintar mientras observa la pantalla sin ningún problema. Si no se oponen se queda con las dos prácticas. Algo que se opone es practicar algún deporte. Si metemos a nuestro hijo a un equipo deportivo, le será imposible ver televisión mientras tiene sus prácticas. La clave radica en que esa disciplina sea una que le guste, recordemos que además de oponerse debe producirnos una satisfacción.

Lo mismo sucede cuando alguien que desea dejar de fumar empieza a comer para matar la ansiedad de la abstinencia. Debido a que comer y fumar realmente no se oponen, lo que suele pasar es que la persona termina "fumando un buen tabaco después de un rico taco". Desde mi perspectiva la principal dificultad para dejar el cigarrillo es que casi nada se le opone. Sé que la nicotina es un factor importante, pero dudo que sea el más fuerte. Hay personas que han podido dejar vicios a sustancias más adictivas como la cocaína y la heroína, lo que nos dice que la nicotina es algo que sí se puede dejar.

El reto del cigarro es que casi nada se le opone. Es portátil y socialmente aceptado, por lo mismo podemos llevarlo a todos lados. Esto no sucede con el alcohol. Por ejemplo imagine a un representante de ventas que visita al gerente de una empresa para intentar venderle. Mientras espera en el lobby saca un cigarrillo y se pone a fumar. Lo peor que puede sucederle es que la recepcionista le solicite que salga a hacerlo porque las normas del edificio así lo establecen. Estas son todas las consecuencias, no es juzgado ni mal visto por ello. Esto no pasa con el alcohol. Un vendedor jamás pensaría en sacar una botella de whisky y tomarla en la oficina mientras espera a su posible cliente. Resulta evidente que eso es algo que no se debe hacer, ya que ingerir bebidas alcohólicas no es aceptado socialmente en cualquier escenario. Pero el tabaco no tiene ese freno.

Algo que se opone al tabaco fumado es la capacidad pulmonar. Practicar un deporte que nos entusiasme puede ser un primer paso para dejar el cigarro. Si nos apasionamos con ese ejercicio y establecemos metas mayores requeriremos incrementar nuestra condición física y el cigarro se convertirá en un estorbo. Es en ese momento cuando surge una razón importante para dejar este vicio. Así es sumamente importante que si tenemos un hábito que queramos cambiar identifiquemos una práctica contraria que nos impida ejecutar ambas y que además sea algo que nos guste o nos provea resultados favorables.

Método para cambiar hábitos.

A continuación viene la parte práctica de esta sección. De nada servirá que exponga grandes disertaciones sobre el cambio de hábitos si no concluimos con acciones. Complete la información que se solicita en el siguiente ejercicio, ya que de allí surgirán las acciones a implementar para llevar su vida a un nuevo nivel.

Identificación de la brecha de insatisfacción. *Retome del ejercicio del capítulo 5 sus áreas de insatisfacción. Anote a la derecha de cada una las acciones que suele* tomar en esos puntos y en el renglón inferior escriba cuáles son sus hábitos o respuestas automáticas relacionadas con esas acciones comunes. Revise el ejemplo para mayor claridad.

Área de insatisfacción	Acciones comunes (¿Qué es lo que suelo hacer en esta área que me ha producido el resultado insatisfactorio?)
Ritmo de trabajo desordenado y excesivo.	En mi tiempo libre me conectó a la red y reviso correos. No respeto horas de inicio y término del trabajo. Trabajar en casa durante los fines de semana.
¿Cuáles son los hábitos detrás de estas acciones?	Revisar correos siempre que la computadora está encendida. Pensar constantemente que estoy atrasado en mi trabajo. Sentimiento de culpa si no estoy en una actividad productiva.
¿Cuáles son los hábitos detrás de estas acciones?	
¿Cuáles son los hábitos detrás de estas acciones?	
¿Cuáles son los hábitos detrás de estas acciones?	

¿Cuáles son los hábitos detrás de estas acciones?	
¿Cuáles son los hábitos detrás de estas acciones?	

Acción sustituta. *Escriba en la columna de la izquierda los hábitos que identificó en el ejercicio anterior y en la columna de la derecha anote la actividad sustituta por la que piensa reemplazarle. Revise los ejemplos.*

Hábito a dejar	Acciones opuestas (sustituto)
Revisar correos siempre que la computadora está encendida.	*Establecer un horario para revisar y responder correos* *Apagar el ordenador cuando no estoy trabajando..*
Pensar constantemente que estoy atrasado en mi trabajo. (Hábito de pensamiento).	*Planear en agenda mi trabajo de lunes a viernes.* *Tener claro que siempre hay más trabajo que tiempo, por lo tanto no hacer todo no significa que estoy atrasado, sino que siempre hay algo más que hacer.*
Sentimiento de culpa si no estoy en una actividad productiva	*Programar con anticipación actividades personales y familiares para el fin de semana (paseos, ejercicio, tareas del hogar, lecturas, etc.). (Si hago esto tendré el fin de semana ocupado con actividades familiares y no sentiré que estoy perdiendo el tiempo).*

Resumen del capítulo.

El tercer paso del modelo de cambio de hábitos es aplicar un método. Los pasos uno y dos nos dicen respectivamente que debemos reconocer nuestra realidad y áreas de insatisfacción, pero también requerimos establecer nuestro estado ideal de las cosas, cómo queremos estar. Pero saber y querer no es suficiente para lograr cambios importantes, necesitamos saber qué hacer para cerrar esa brecha. Es por esto que este paso nos dice que necesitamos seguir un método. Aunque es posible cambiar un hábito con base en la fuerza de voluntad, también podemos hacerlo sustituyendo nuestras acciones rutinarias actuales por otras distintas. La clave de la sustitución es que debemos buscar que la nueva acción sea opuesta a la anterior y que nos brinde resultados o una satisfacción.

Para avanzar en el proceso es indispensable que identifiquemos con qué actividades vamos a sustituir a las actuales. Descubrirlas puede ser complicado en algunos casos, pero podemos solicitar a nuestros amigos que nos brinden ideas. La pregunta que podemos hacernos para responder ante este reto es: ¿qué actividad que me dé resultados o agrade me puede mantener ocupado e impedir que realice la que quiero dejar?

CAPÍTULO 7.

Repetición.

Las cosas no cambian; cambiamos nosotros.
—Henry David Thoreau

*E*stamos por entrar al último paso del proceso para el cambio de hábitos. Todo el trabajo de conciencia de las tres partes anteriores puede convertirse solamente en buenos deseos si no aplicamos este último peldaño. Tal vez este paso sea el más sencillo de todos, pero el menos practicado. Me atrevo a afirmar que si aplicamos el proceso hasta el punto anterior sin continuar con éste, lo que nos sucederá es que experimentaremos frustración y tenderemos a creer que es imposible modificar nuestros hábitos. De hecho, en la mayoría de los casos en que he visto a personas intentar generar cambios significativos en su vida, este es el punto más frágil, ¡la prueba de fuego!

Curiosamente este paso es quizás el más sencillo de entender y ante el cual ya no tenemos necesidad de realizar ningún análisis sobre nuestra vida. Simplemente es acción; es dejar a un lado las teorías y montarnos en la bicicleta para pedalear. El reto reside en que hay que subirse y hacer los recorridos constantemente, día tras día, hasta que nuestra ejecución se convierta en un proceso automático, en un hábito. Seguir el método una y otra vez. La diferencia entre alguien que tiene información valiosa y quien tiene verdaderos resultados en su proceso de cambio es que el segundo pone por obra constantemente esa información que ha adquirido. Esta parte del proceso es la diferencia entre querer ser un gran empresario y emprender un proyecto; soñar con ser un gran pianista y sentarse al piano dos o tres horas cada día. El dicho común afirma que "la práctica hace al maestro". Podemos modificar esta frase popular para decir: "la práctica produce hábitos".

Al inicio de esta disertación aprendimos que todo hábito se adquiere por repetición. Hemos llegado a esa parte. Jamás una persona adquirió el vicio del cigarro por un único cigarrillo que se fumara. Un atleta no se disciplinó por el hecho de haber asistido a sus prácticas durante una semana. No, la repetición necesaria para adquirir un nuevo hábito no es cuestión de unas cuantas veces, requiere muchas ocasiones de hacer lo mismo. He leído y escuchado escritores que afirman que para que logremos esto es necesario que se realice la práctica durante veintiún días consecutivos; también he encontrado otros autores que afirman que el número mágico no es el veintiuno, sino veintiocho. Yo pienso que no podemos establecer un patrón único de tiempo para que cualquier individuo adquiera todo tipo de hábitos. Hay demasiadas variables en juego como para afirmar que son tal o cual número de días. Veamos algunas de estos factores que inciden en la adquisición de los hábitos.

Variables que influyen en la adquisición de un hábito.

1. ***Complejidad del hábito por adquirir.*** No todos las actividades son igual de sencillas o complicadas y obviamente entre más complejas sean, mayor será el lapso que requerimos practicar para llegar a dominarlas. Por ejemplo, se requiere mucho menos práctica para manejar con destreza el control remoto de la televisión que para aprender mecanografía. En el ámbito deportivo, por ejemplo, llegar a dominar el golpe en el golf suele ser más complicado para la mayoría de las personas que lograr regresar el volante o pluma con la raqueta de badminton. El nivel de destreza que exige cada una de estas alternativas es distinto, por lo mismo los días de práctica necesarios para convertir nuestros movimientos en un proceso automático e inconciente no son los mismos.

2. ***Nivel de voluntad e interés de la persona.*** Hay de prácticas a prácticas. A lo que me refiero es que no siempre aplicamos la misma atención e interés a la ejecución de algo. Cuando ensayamos totalmente concentrados nuestro nivel de aprendizaje y calidad de ejecución es mayor que cuando lo hacemos con desgano o desinterés. Dos alumnos pueden invertir el mismo tiempo en sus ensayos frente al piano, pero uno de ellos es

apasionado al respecto, le gusta, lo disfruta. El otro, por su parte, cumple con el requisito porque, aunque no le es del todo desagradable hacerlo, no es su mayor pasión. Realmente estudia el instrumento porque sus padres se lo han sugerido o incluso le han obligado a hacerlo. Es claro que el primero de los estudiantes podrá habituarse al piano mucho más pronto que el segundo, incluso si los dos repiten los ejercicios durante veintiocho días consecutivos. Lo mismo puede suceder a una sola persona en su intento por adquirir alguna destreza. Pensemos en un empleado de la construcción al que le dan un curso sobre el manejo de un equipo que sabe que casi nunca utilizará. Como parte de ese entrenamiento se incluyen prácticas en el manejo de dicho equipo. El nivel de interés del albañil será muy diferente si se entera antes de la capacitación que su sueldo dependerá de la destreza con la que maneje la nueva herramienta. Seguramente bajo esta perspectiva requerirá de menos repeticiones para manejar el equipo con destreza. Recordemos que la necesidad y los deseos son los verdaderos motivadores del ser humano. Quien posee la necesidad de adquirir un hábito y quien tenga grandes deseos de hacerlo, seguramente se involucrará más en el proceso y pondrá mayor interés en el mismo. Obviamente la consecuencia será que su proceso de aprendizaje será más efectivo. Su tiempo de práctica para adquirir un hábito se reducirá.

3. *Familiaridad con una actividad similar a la que deseamos adquirir.* Cuando dominamos una he-

rramienta o actividad parecida a la que deseamos acostumbrarnos el proceso resulta mucho más corto y sencillo. Pensemos por ejemplo en un niño al que le regalan la nueva versión de un video juego. Este novedoso programa trae un par de aparatos de control manual diferentes a los de los juegos que él tenía. Si el jovencito ya estaba habituado a los controladores anteriores, seguramente lidiará un poco al principio con los nuevos instrumentos, pero aprenderá a dominarlos y se acostumbrará a ellos mucho más rápido que una persona que no había jugado previamente con equipos de este tipo. Lo mismo sucede con los hábitos de conducta. Supongamos que usted desea adquirir el hábito de levantarse muy temprano por la mañana para salir a hacer ejercicio. Si no es una persona que se ha disciplinado en otras áreas de su vida, le será más difícil adquirir el nuevo hábito que a aquéllos que, por ejemplo, estuvieron inscritos en la milicia durante un par de años. Como para ellos la disciplina fue parte de su vida diaria, les será más fácil disciplinarse en alguna actividad que jamás habían practicado. Con los sistemas de computación actuales sucede algo similar. Ahora prácticamente todos los programas que salen al mercado manejan el sistema de ventanas y una iconografía similar a la utilizada por las grandes compañías, como Microsoft o Apple. Aprender a usar un nuevo sistema es muy sencillo para quiénes ya dominan otros programas por el simple hecho de que su experiencia en computación les ha permitido entender la lógica del uso de los programas. Por el contrario, quien no ha tenido contacto con sistemas de informática por medio del sistema de ventanas (me pregunto si existirá alguien que maneje ordenadores que se encuentre en esta situación), requerirá de más prácticas para aprender a utilizarlos. Los hábitos son tan maravillosos que cuando los adquirimos nos permiten actuar con buena velocidad y exactitud. He visto personas que nunca habían manejado un teclado de ordenador, escribir a toda velocidad utilizando solamente dos dedos. Tal vez sus movimientos no se vean muy profesionales, pero son sumamente efectivos. Por supuesto que para quien sabía mecanografía, aprender a usar las teclas del computador le resultó sencillo y requirió de menos tiempo de práctica.

4. *Aptitudes naturales.* Existen actividades de diversos tipos que se relacionan directamente con lo que ahora conocemos como inteligencias múltiples. Esta teoría propuesta por Howard Gardner nos dice en pocas palabras que ser inteligente no significa sacar buenas calificaciones en la escuela, ya que allí suele evaluarse sólo una pequeña porción del quehacer humano. Todos somos testigos de historias en las que compañeros de escuela que nunca tuvieron notas brillantes actualmente poseen puestos importantes en grandes compañías, son empresarios exitosos o se han destacado en otras disciplinas. Esto se debe a que en los sistemas de evaluación escolar sólo califican cierto tipo de inteligencias, generalmente la habilidad para memorizar y la de

relación de datos. La propuesta de Gardner sostiene que la inteligencia no es algo unitario; es decir, considera incorrecto afirmar que alguien es inteligente o no lo es; lo que sucede es que existen diferentes tipos de inteligencias, totalmente independientes entre sí.

Así, cierto tipo de inteligencia es indispensable para salir bien en la escuela, pero se requieren otras totalmente distintas para ejecutar bien un deporte, hacer amigos o sobrevivir en la naturaleza. Ninguna es mejor que la otra, simplemente son distintas y por lo mismo sirven para resolver situaciones y rubros diferentes de la vida. En otras palabras, y desde esta perspectiva, Albert Einstein no fue más o menos inteligente que Mozart o Michael Jordan, simplemente sus inteligencias pertenecen a campos distintos. Esto significa que hay gente, por ejemplo, a la que se le facilita mucho realizar y aprender actividades de tipo manual, pero les es sumamente difícil dominar acciones relacionadas con las ventas o el trato con otras personas. Por lo mismo, quien tiene esa habilidad hacia las manualidades puede adquirir rápidamente hábitos como cortar el cabello (manejar las tijeras por ejemplo) trabajar la carpintería o esculpir con barro; pero le costará más tiempo y esfuerzo convertir en costumbre el proceso de exposición y presentación de productos a sus posibles compradores. Sus habilidades no están en las ventas y las relaciones sociales, sino en utilizar sus manos. Por supuesto que este individuo puede desarrollar esas otras habilidades, pero le tomará más tiempo que las manualidades.

Como vemos es difícil establecer una regla inamovible respecto a cuánto tiempo debemos repetir una actividad para convertirla en hábito. No me parece mala idea que nos propongamos practicar diariamente durante veintiún o veintiocho días; sin embargo quiero dejar claro que eso no es una ley que aplique infaliblemente a todas las personas y bajo cualquier circunstancia. Así, si lleva un mes practicando una nueva técnica sin que aún se convierta en un hábito, no se desanime, seguramente alguna de las variables anteriores no está a su favor y le tomará un poco más de tiempo; pero no se rinda, la práctica hace al maestro y además le produce hábitos.

El compañero de aprendizaje.

Lo que es indudable es que sin repetición no hay hábitos, por lo tanto, nuestro reto es disciplinarnos para hacer una misma ejecución una y otra vez hasta que se convierta en un acto inconciente en nuestra mente o cuerpo, dependiendo de que tipo de hábito sea. El problema para muchos de nosotros es que la disciplina no es nuestra tarjeta de presentación; es como si no formara parte de nuestra genética y, como vimos en el capítulo anterior, para algunos la fuerza de voluntad parece haberse ido de vacaciones por un buen tiempo. ¿Qué hacer para aplicar lo que deseamos si tenemos problemas de voluntad? Existe una alternativa, el compañero de aprendizaje.

Hace años se realizó una investigación para determinar cuál es la mejor estrategia para realizar algo que nos proponemos. Se compararon resultados de cumplimiento de objetivos con diferentes acciones o técnicas que la mayoría de las personas utilizamos. Las conclusiones de este trabajo mostraron que sí existen mejores métodos para llevar a la práctica un deseo. A continuación enlisto estas acciones en orden ascendente, es decir, las primeras resultaron las menos efectivas y la última la que da mejores frutos. La primera de ellas fue simplemente pensar que nos interesa hacer algo que escuchamos o leímos y que deseamos aplicarlo en nuestra vida. Obviamente los resultados con esta técnica fueron menores al 20%. La segunda consistía en anotar ese propósito, es decir, no sólo se tuvo el deseo, sino que se fue un paso más allá, se registró ese anhelo en un papel. Aunque el porcentaje de cumplimiento aumentaba, continuaba siendo muy bajo. La tercera acción radicaba en, además de anotarlo, comentar con alguien lo que haríamos. El nivel de resultados fue mejor en este caso que en los dos anteriores, sin embargo se encontró uno que resultó más conveniente. La de mejores resultados, que por cierto reflejó tener una efectividad mayor al 90%, consistió en comprometerse con alguien más para realizar la actividad deseada. Esto significa que se hacía un compromiso específico con otra persona para rendirle cuentas del cumplimiento del deber adquirido, o se realizaba el acuerdo para realizar juntos esa actividad o actividades. Es de allí de donde surge una alternativa excelente para garantizar que lograremos poner por obra las actividades que nos proveerán mejores hábitos, adquirir un compañero de aprendizaje.

El compañero de aprendizaje es una persona de confianza con la que hacemos un acuerdo para avanzar en nuestro proyecto de adquirir nuevos hábitos. Este es un sistema excelente para disciplinarnos cuando nos es difícil hacerlo solamente con nuestra determinación. La idea es invitar a un amigo, familiar o colega con quien podamos hacer un pacto para adquirir nuevas prácticas. Realmente esta es una opción magnífica, pues no sólo nos permite incrementar las posibilidades de lograr lo que deseamos, también nos da la oportunidad de hacer este proceso más agradable al compartirlo con alguien más. La idea es que verdaderamente podamos considerar a la otra persona como un compañero o compañera. Algo recomendable es que también la otra persona pueda descansar en nosotros sus propias metas, para convertirnos en apoyo mutuo. El nivel de compromiso que haremos con esta persona será de dos tipos. Uno es de práctica conjunta y el otro, de seguimiento.

Práctica conjunta.

Esto significa que realizaremos actividades junto con nuestro compañero de aprendizaje. Por ejemplo, si lo que deseamos es hacer ejercicio varias veces a la semana, nos pondremos de acuerdo con nuestro compañero de aprendizaje para vernos de lunes a viernes a cierta hora y en determinado lugar para practicar un deporte. Puede ser que vayamos a un gimnasio, a un parque a correr o realizar caminatas matutinas. Lo maravilloso de esto es que al haber hecho un compromiso, es mucho más probable que nos mantengamos cumpliendo. Imagine, por ejemplo, que hicieron el acuerdo de verse de lunes a viernes en cierto parque a las cinco y treinta de la mañana para correr. Es lunes, su despertador suena a las cinco de la mañana y usted empieza a considerar la opción de no ir a hacer ejercicio ese día. De pronto recuerda que su amigo le estará esperando en el parque. Este pensamiento se convierte en una presión que le impulsará a levantarse e ir a su cita, pues no hacerlo afecta a alguien más. No es lo mismo quedar mal con nosotros mismos que fallarle a otra persona.

Si lo que queremos modificar es nuestra forma de hablar, podemos pedirle al compañero que nos ayude corrigiéndonos cada vez que nos escuche utilizar las palabras o frases que queremos desechar de nuestro vocabulario. Así, además de ponernos de acuerdo para trabajar juntos, le otorgamos autoridad para que nos corrija. Una vez que usted haya definido cuáles son las actividades que desea adoptar para cerrar su brecha de insatisfacción o sustituir un hábito, el siguiente paso será adquirir un compañero o compañera para poner por obra el proceso.

Dar al compañero autoridad para seguimiento.

Hay varias actividades que no son viables de realizar en compañía de otra persona. Es por ello que el acompañante del proceso también puede participar como alguien a quien rendirle cuentas. La idea es que hagamos un acuerdo en el que informemos regularmente a nuestro compañero sobre el cumplimiento y avance de las metas de corto plazo que nos hemos impuesto. Si por ejemplo deseamos adquirir el hábito de tomar un tiempo diario para meditar y orar a solas, no contaremos con la participación de alguien más, pues la idea es hacerlo nosotros solos. Pero lo que nos ayudará a cumplir este objetivo es establecer un día de la semana en el que nos reuniremos con nuestro compañero de aprendizaje para informarle en qué medida hemos respetado nuestro propósito. Cuando sabemos que tenemos alguien a quien rendirle cuentas y además hemos establecido una fecha específica cada semana para hacerlo, el sentido de responsabilidad empieza a trabajar a nuestro favor.

Algo fundamental para que esto funcione es que otorguemos autoridad a la otra persona para exigirnos cuentas y resultados. Con esto no quiere decir que cuando incumplamos nos trate mal o nos ponga castigos, tampoco se trata de eso. Pero lo que sí necesitamos es que nos exijan cumplir lo que nos hemos propuesto. Si nuestro compañero no toma en serio su papel, lo más probable es que nosotros tampoco lo hagamos y lo que sucederá es que el nivel de compromiso disminuirá. Aquí nuevamente aparece como ventaja el que ambas personas estemos viviendo procesos de crecimiento y que los dos funcionemos como acompañantes recíprocos; así no sólo él o ella tiene autoridad sobre mi, sino yo también sobre él o ella. Esto, además de hacerlo más divertido, nos da cierta libertad para reclamar sus incumplimientos, pues a fin de cuentas la otra parte también me exigirá a mí la realización de los míos.

Otra situación que nos lleva a actuar individualmente y sin la presencia de nuestro apoyo, es que quizá no encontremos a una persona que desee comprometerse a practicar la acción que nosotros queremos; por ejemplo asistir todos los días a hacer ejercicio. Puede darse la circunstancia de que simplemente no localicemos a una persona de nuestra confianza que desee levantarse temprano para ir a ejercitarse en algún deporte. Si nos pasa esto no importa, pues podemos generar un acuerdo de rendimiento de cuentas a nuestro compañero de aprendizaje aunque él no realice la práctica. Nos pondremos de acuerdo con nuestro apoyo para reunirnos una vez a la semana, ya sea física o virtualmente. En la junta revisaremos si cumplimos las acciones que nos propusimos; también analizaremos por qué no lo hicimos en caso de que fuera así, y haremos nuevos compromisos para la siguiente semana. Rendir cuentas a alguien incrementa nuestro sentido del deber y las posibilidades de que cumplamos nuestros objetivos. Tener un compañero que nos escolte en el proceso de crecimiento hace la carrera más ligera y agradable. He visto a diferentes personas aplicar este método y jamás se han arrepentido de haberlo hecho.

El ejemplo de la organización personal.

Recuerdo al equipo gerencial de una empresa que se hizo el firme propósito de empezar a utilizar un sistema específico de organización personal. Su contexto era que tenían una carga laboral con múltiples actividades: reuniones de trabajo, seguimiento personal al desempeño de coordinadores regionales, negociaciones y juntas con clientes; seguimiento a los procesos operativos y por supuesto "apagar los fuegos" que surgían cada día. Ante tantas actividades y variables solían incumplir compromisos, retrasarse en actividades, postergar proyectos y cosas similares. Estas fallas impactaban los resultados de su desempeño e incluso creaban tensión entre las relaciones con sus colegas.

Recibimos una llamada en nuestra empresa de desarrollo y entrenamiento organizacional[6] por parte del director de esta institución solicitándonos ayudarle a resolver el reto que estaban enfrentando. Entre otras soluciones que aplicamos, recomendamos que cada miembro del equipo directivo y gerencial adoptara un sistema único de organización personal que les permitiera ubicar prioridades, programar actividades, tener un registro de toda la información que generan en sus actividades cotidianas y sistematizar el seguimiento a los acuerdos que van haciendo. Para lograr esto era indispensable que todos adquirieran el hábito de manejar un organizador personal utilizando un sistema de agenda. Lograr esto cuando alguien no está acostumbrado a hacerlo no es fácil. Para empezar hay personas a las que incluso les da pena llevar agenda. Se sienten mal por decirle a un amigo, familiar o incluso colega que necesitan revisar su agenda

---

6. La empresa se llama Efectividad Humana. Si desea conocer sobre ella o desea leer artículos gratuitos de efectividad personal y organizacional visite la página www.efectividadhumana.com

antes de acordar una cita. Creen que los demás los pueden considerar pedantes.

A otras personas del equipo se les olvidaba anotar en su organizador los compromisos que adquirían. Había quienes, confiando demasiado en su memoria, se negaban a anotar en su organizador muchas de las actividades que programaban o acuerdos que hacían. En fin, el desafío era grande, pues se trataba de generar el hábito de planear, registrar y revisar cada actividad de todos los días en un grupo de personas. Para lograrlo establecimos un sistema doble de compañero de aprendizaje durante un mes. El proceso consistía en que adquirieran un acompañante con autoridad de seguimiento. Cada pareja se reunía cada dos días para rendirse cuentas de su cumplimiento en la aplicación del proceso de organización personal. Les diseñamos unos formatos de seguimiento que les facilitaran revisar el cumplimiento de todos los puntos.

Así, durante un mes completo se reunieron tres veces por semana. En sus juntas cada participante exponía a su compañero o compañera, siguiendo el formato, en qué había cumplido el proceso de planear, registrar y revisar y en qué había fallado. Analizaban juntos las causas de sus incumplimientos, determinaban una solución con base en lo visto en el entrenamiento y hacían un nuevo compromiso para los días siguientes. Además de estas reuniones tenían el compromiso de llenar un sencillo reporte de opción múltiple al respecto. Éste lo enviaban semanalmente a un instructor de nuestra empresa para garantizar que sí se juntaran tres veces cada semana. Los resultados fueron maravillosos. En poco tiempo pudimos observar como los miembros de este equipo gerencial se acostumbraron a llevar consigo su organizador personal. Poseían registros de prácticamente todos sus acuerdos y de la información generada en sus reuniones de trabajo. Ahora tenían un mayor control de sus compromisos y cada semana hacían una programación de sus actividades con base en las prioridades de la organización, su departamento y las suyas personales.

El compañero de aprendizaje es una excelente herramienta para implementar acciones nuevas. Le invito a adoptarla como parte del método para adquirir nuevos hábitos. Le aseguro que además de mejorar sus resultados, vivirá un proceso hermoso al compartir con alguien más su deseo por superarse. Sus acciones no sólo le motivarán a usted, seguramente también será una inspiración para ese acompañante. Además, las cosas que disfrutamos y compartimos con alguien más, suelen ser más agradables, satisfactorias y divertidas.

Convierta sus sueños en metas.

Otro paso que debe dar para generar la repetición necesaria para convertir una acción en un hábito es convertir sus sueños en metas. En la segunda etapa del proceso de cambio de hábitos hablamos de establecer nuestro estado deseado, es decir, los sueños. Un factor básico para alcanzar esos sueños y desarrollar nuevos hábitos consiste en ponerle fecha a cada una de las acciones que tomaremos para alcanzarlos. Cuando tenemos un anhelo, pero no lo convertimos en acciones con fechas límite solemos caer en una simple fantasía. Pero cuando cada uno de esos deseos lo desglosamos en un grupo de actividades con un plazo definido, entonces hemos transformado nuestros sueños en objetivos o metas.

No tener objetivos nos complicará la obtención de nuestros deseos. Cuando actuamos sin poner fecha a las diferentes actividades que debemos realizar, prácticamente estamos echando nuestros sueños a la basura. Las fechas son un detonante de energía. Cuando una pareja de enamorados se compromete en matrimonio y establecen una fecha para realizarlo, todo cambia. Si por el contrario hablan de que algún día se casarán y compartirán sus vidas sin establecer un día específico, nada sucede, pues no existe ni un compromiso explícito, ni una fecha que lo determine. Pero una vez que se establece un día para la boda, empiezan a surgir actividades previas que son necesarias para realizar el evento nupcial. La fecha se convierte en un eje de presión que impulsa a la pareja a programar tareas. ¿Puede ver la diferencia entre establecer una fecha y solamente desear algo?

Un vivo ejemplo de cuando no ponemos un día límite para cada meta es la famosa frase "un día de éstos". "Un día de éstos visitaré a mis padres"; "un día de éstos llevaré flores a mi esposa"; "un día de éstos terminaré mis estudios"; "un día de éstos empezaré a hacer ejercicio";

"un día de éstos llamaré por teléfono a aquél amigo para saludarle"; etc. Lo único que es realidad de todo esto es que un día de éstos nos vamos a morir y lo más probable es que no hayamos realizado muchísimas de todas aquellas actividades que pensábamos hacer "un día de éstos". La herramienta para convertir nuestras intenciones en acciones es establecer una fecha para cada una de ellas e informar a alguien más al respecto. La persona ideal es nuestro compañero de aprendizaje. Cuando hacemos público nuestro propósito nos comprometemos más que cuando lo mantenemos privado. Al hablar creamos un lazo con nuestras palabras que nos generará la presión necesaria para actuar. Recordemos, a falta de fuerza de voluntad podemos hacer uso de pequeños pero efectivos trucos como éste. Son como candados que nos ponemos nosotros mismos para asegurarnos que haremos lo que deseamos.

Ser específicos con nuestras metas.

Metas específicas, producen resultados específicos; pero metas generales, simplemente no dan resultados. Algunos piensan que metas generales nos brindan resultados generales, pero no es así. Tristemente cuando generalizamos nuestros objetivos perdemos los resultados. El principio detrás de esto es simple y su aplicación es muy común en los procesos productivos y de mejora de la calidad y reza lo siguiente: "no podemos mejorar lo que no podemos medir", puesto en una expresión positiva, "sólo mejoraremos aquello que podemos medir". Sencillo ¿no? ¿Cómo podemos saber si estamos mejor en algo si no contamos con un parámetro para medirlo?, ¿cómo saber si me estoy acercando a mi destino si ignoro cuáles son las lugares intermedios? Los sueños no sólo requieren de una fecha para convertirse en metas, también necesitan ser muy específicos en cuanto a qué es lo que se espera de ellas.

Pensemos por ejemplo en alguien que anhela mejorar su salud. En su proceso de cambio ha reconocido su insatisfacción con el estado de salud que posee; desea tener un cuerpo más sano y sabe que para ello requiere modificar sus hábitos alimenticios y practicar algún deporte regularmente. Desea bajar su peso y reducir la grasa corporal. Para convertir su sueño en una meta debe fijar una fecha límite para alcanzar una mejor figura. Pero esto no es suficiente, pues si no establece parámetros específicos, le será muy difícil identificar si está teniendo éxito en su proceso. Hacer esto significa que además de poner el plazo requiere especificar cuántos kilos menos tendrá para esa fecha. Es muy diferente decir que queremos bajar de peso para el día último del año, que establecer que deseamos reducir nuestro peso en diez kilogramos para esa fecha. En el primer caso podríamos llegar al 31 de diciembre con trescientos gramos menos y literalmente bajamos de peso; pero evidentemente no cumplimos nuestro propósito. Por el contrario, si hacemos lo de la segunda opción, fijar una cantidad de kilogramos a perder, no sólo sabremos al final si logramos nuestro objetivo, sino que a lo largo del tiempo podremos medir claramente nuestro avance o la falta de él. Si por ejemplo hemos recorrido la mitad para llegar al plazo y no hemos bajado cinco kilos, sabemos que estamos en problemas y que necesitamos acelerar el paso si realmente queremos alcanzar nuestra meta para el día último del año.

Si queremos adquirir un nuevo hábito y cambiar para bien esas áreas de insatisfacción que tenemos, necesitamos tener claros nuestros deseos, saber qué es lo que tenemos que hacer y hacerlo; pero para ponerlo en práctica requerimos convertir esos deseos en metas. Esto significa desglosar esos sueños en actividades, ponerles un plazo para marcar su inicio y fin y definir claramente qué es lo que queremos hacer y alcanzar.

Diseñe un plan de acción.

Ahora cuenta con el conocimiento e información suficiente para iniciar su carrera hacia la adquisición de nuevos hábitos. El último paso de este proceso será diseñar un plan de acción en el que considere los puntos que hemos mencionado. Anote sus sueños, conviértalos en metas, acuerde con su compañero de aprendizaje cómo trabajarán y súbase a su bicicleta. ¡Empiece a darle a los pedales! A continuación encontrará un ejercicio para concentrar esta información. No espere más. Si no cuenta con toda la información que necesita o si todavía no define algunos de sus objetivos, no se detenga, inicie con lo que ya cuenta. Lo importante será iniciar y al tener resultados se motivará a continuar.

Transformando sueños en metas.

Registre los sueños que anotó en el capítulo 5, describa las actividades que debe realizar para alcanzarlos y las fechas para cada una de ellas. Recuerde describir su meta de manera específica.

Ejemplo: Si mi deseo es viajar a París y cuento con un año para alcanzarlo, el desglose de las metas sería el siguiente:

Sueño	Actividades a realizar	Fecha límite
Conocer París. *Visitarlo durante una semana el verano del próximo año.*	1. Ahorrar 6,000 dlls.	*Próximo mayo*
	2. Aprender francés básico. Tomar un curso	*31 de diciembre*
	3. Generar ingresos extra vendiendo ropa los fines de semana. Será ahorro para el viaje.	*$500.00 cada mes.*
	4. Registrarme en páginas web con información sobre ofertas en vuelos y hoteles.	*Del 5 de mayo, al ...*
Compañero: *Gaby (mi esposa)*	**Seguimientos:**	*Miércoles 8:00 PM*

Sueño	Actividades a realizar	Fecha límite
Compañero:	**Seguimientos:**	

Sueño	Actividades a realizar	Fecha límite
Compañero:	**Seguimientos:**	

Sueño	Actividades a realizar	Fecha límite

Compañero:		Seguimientos:	

Sueño	Actividades a realizar	Fecha límite

Compañero:		Seguimientos:	

Resumen del capítulo.

Esta última fase consiste en repetir el método vez tras vez hasta que se convierta en un hábito. En la cuestión de la adquisición de hábitos no hay atajos, necesitamos practicar constantemente la nueva acción hasta que sea parte de nuestra manera automática de pensar y actuar. Para lograrlo contamos con la fuerza de voluntad. Por supuesto que sí es posible adquirir un hábito con base en nuestro empeño y disciplina. Podemos hacerlo directamente de esta manera; pero si somos personas a las que no nos resulta tan sencillo apelar a nuestro carácter, entonces podemos ordenarnos utilizando a un compañero de aprendizaje.

El compañero de aprendizaje es una persona que nos acompañará en el proceso de la práctica del nuevo hábito; ya sea que él o ella también desee realizar lo que nosotros haremos o que participe como una persona a la que le rendiremos cuentas sobre nuestro avance cada semana. La clave de esta técnica es que nuestro compañero de aprendizaje realmente nos apoye exigiéndonos que cumplamos las metas. Para ello es fundamental que le expliquemos lo que queremos lograr, que le pidamos su apoyo y que le otorguemos autoridad sobre nosotros para pedirnos cuentas.

El pensar popular afirma que se requieren 21 días de repetición de una acción para convertirla en un hábito. Desde mi perspectiva esto no es así, ya que hay muchas variables relacionadas con la adquisición de un hábito. Unas de ellas son: el grado de dominio propio que tiene cada persona, las habilidades naturales de cada quien y las que exige el nuevo hábito; el grado de deseo que tengamos por adquirir ese hábito, etc.

Como cierre práctico de esta parte del proceso de cambio debemos convertir nuestros sueños en metas e incrustarlas en un plan de acción. Este programa de trabajo debe ser de implementación inmediata. No se detenga a tener un plan perfecto. Inicie con lo que cuenta. Empiece ya. Es la práctica lo que hace al maestro, no la perfección de sus planes.

LOS PEQUEÑOS LOGROS COTIDIANOS, SON FUENTE DE SATISFACCIÓN (EPÍLOGO)

Para el logro del triunfo siempre
ha sido indispensable pasar por
la senda de los sacrificios.
—Simón Bolívar

*L*os hábitos forman nuestra vida. Es indudable que los seres humanos somos seres de costumbres. Quien logre tener control sobre las rutinas de su vida, irá conquistándose a sí mismo. Este es el gran reto de la vida, dominio sobre nosotros mismos. Salomón, el gran rey y sabio hebreo afirmó que "mejor es el que domina su espíritu que quien controla un reino". La historia nos ha dado testimonio de lo verdadera que resulta esta frase. Grandes monarcas, deportistas y presidentes han logrado vencer rivales y naciones enemigas; pero no han triunfado sobre ellos mismos. Sus debilidades personales les llevan a la ruina en la más importante de todas las batallas, la de nuestras victorias privadas.

El carácter, al igual que los hábitos, se forja en lo oculto; cuando casi nadie nos ve. Son los esfuerzos que hacemos en privado, mientras otros se divierten o descansan, los que harán la diferencia entre tener una vida sencilla y una extraordinaria. La honestidad se prueba cuando tengo posibilidad de mentir sin que los demás se enteren; la fidelidad cuando estoy a solas y lejos de casa y de las personas que me conocen; la disciplina cuando tengo la posibilidad de no actuar y nadie me reclamará por no hacerlo. Este es el reto.

Lo maravilloso de trabajar en lo oculto es que inevitablemente todo lo que sembramos en las sombras, tarde o temprano saldrá a la luz. Todo trabajo produce fruto. Tal vez mientras nos esforzamos en privado, nadie nos lo reconoce; no hay cámaras de televisión ni amigos y familiares aplaudiendo; pero la naturaleza y sus principios son inamovibles y llegará un momento en que todo esfuerzo mostrará su resultado al exterior. Es como el joven que cada día asiste al gimnasio para hacer ejercicio. Mientras otros ven televisión, juegan o descansan, él asiste cada día a cumplir su rutina. En ese momento él se encuentra prácticamente solo. Incluso a pesar de llevar un par de meses asistiendo su cuerpo parece no experimentar cambios. Paciencia, la repetición de una actividad siempre produce su fruto. Al paso del tiempo este joven contará con una musculatura y fortaleza superior a la de aquéllos que no están haciendo ejercicio. Llegará un momento en que su cuerpo no podrá ocultar lo que esta persona está invirtiendo cuando nadie le ve.

Así funcionan los hábitos y así se desarrolla el carácter, en lo oculto. Para entender esto debemos pensar de la manera correcta. A la mayoría de nosotros nos encantaría adquirir un hábito y sus beneficios en menos de una semana, pero la realidad no funciona de esa manera. No se desespere, mejor disfrute el proceso de la formación de su nuevo hábito. Celebre en su interior cada día que repita una rutina, ¡se está acercando a su meta!, ¡está triunfando sobre usted mismo!

La perseverancia es el arma más poderosa del ser humano. Ser constante tiene más impacto que ser fuerte. Es el poder de la repetición el que genera los cambios más grandes en el ser humano. Para comprobarlo bástenos ver la lucha que se desata cada segundo en las playas entre el agua y las rocas. Allí, en la arena se encuentran las aguas del mar que van y vienen. En cada arribo a la tierra se enfrentan a las piedras gigantes de la orilla. Las rocas permanecen firmes, sólidas. Llevan siglos en su posición, no se mueven. Su estabilidad descansa en el poder de su dureza, resulta imposible que el golpeteo del agua las destruya. La fuerza de un grupo de gotas no se compara con la rigidez de la roca. Incluso cuando la ola se estrella con todo su vigor contra ellas, las rocas permanecen estables. Sin embargo, a pesar de esa incomparable diferencia en sus fuerzas, es el agua quien termina lijando a la roca. Su constante ir y venir pule a la piedra. No es su poderío lo que logra transformar la forma de las piedras, es su constancia. Las gotas regresan una y otra vez, se alejan unos segundos para llegar nuevamente. No se cansan porque mantienen su ritmo, son constantes. Llegan a la orilla una vez, dos veces, cincuenta, mil, diez mil y millones de ocasiones. Ante tal perseverancia la roca se rinde y es moldeada por el poder de la constancia del agua.

De la misma manera los seres humanos podemos transformar nuestra vida, la de nuestros seres queridos, el ambiente de trabajo y nuestra comunidad. La clave descansa en convertirnos cada día en mejores personas. Intentemos alcanzar un mejor nivel de relaciones humanas; aprendamos más sobre nuestro trabajo; dominemos más idiomas; cuidemos nuestra salud. La vida se disfruta más si tenemos pequeños logros constantes que si esperamos a tener una o dos grandes victorias a lo largo de nuestra existencia. La vida es muy corta. Ochenta, noventa o cien años me parecen poco para todo lo que hay por aprender, disfrutar y conocer. Le invito a aprovechar la tremenda bendición que el Creador nos ha dado al habernos equipado con la capacidad de desarrollarnos en espíritu, alma y cuerpo. Que triste resultaría que cuando llegue el término de nuestro tiempo en esta tierra gran parte de nuestro potencial quedara enterrado con nuestros restos. Mi anhelo es que cuando me alcance ese momento sólo entierren mi cuerpo y no gran parte del potencial que Dios me dio y que nunca me atreví a desarrollar.

Usted tiene muchos dones que todavía no pone en práctica. Su capacidad es mucho mayor que la que está usando ahora. Todos tenemos más potencial del que usamos, mucho más. Despierte sus sueños y explote el poder que hay en su interior para desarrollar nuevas virtudes. Tome el reto de deshacerse de todos los vicios que le perjudican y dañan a sus seres queridos. Sí es posible. No importa su edad, todos tenemos más capacidad dentro de nosotros. Mi anhelo es que a lo largo de esta obra usted haya despertado inquietudes guardadas en su corazón y en su mente; que se haya dado cuenta que la vida no es un sueño, sino la posibilidad de alcanzar muchos de ellos. Deje a un lado el pasado y construya el futuro que desea tener. Hoy inicia esa nueva oportunidad. Cuando termine de leer esta página y cierre el libro, frente a usted se encontrará lo más bello que posee, la vida. Allí está, tan despierta y abierta como siempre, llena de posibilidades. Tal vez algunas situaciones difíciles que ha enfrentado le han debilitado. Lo entiendo. Sin embargo la vida sigue y usted con ella.

Hay una manera muy sencilla de saber si todavía hay algo por qué luchar y vivir; una forma clara de identificar si aún hay alguna misión por cumplir. Si está vivo, entonces todavía queda algo por alcanzar. Le invito a crecer, a transformarse en una mejor persona de la cual usted se sienta orgulloso u orgullosa. Los hábitos son una excelente herramienta para lograr este cometido. Recuerde que no es un gran golpe de fuerza lo que hace que el agua transforme a la roca, sino su perseverancia.